D1316338

LA BANDE DES Quatre

TOME

Catalogage avant publication de Bibliothèque et Archives nationales du Québec et Bibliothèque et Archives Canada

Bergeron, Alain M., 1957-

La Bande des Quatre
Pour les jeunes de 10 ans et plus.

ISBN 978-2-89591-268-2 (vol. 2)

I. Gravel, François. II. Latulippe, Martine, 1971- . III. Mercier, Johanne. IV. Gravel, Élise. V. Titre.

PS8553.E674B362 2015   jC843'.54   C2014-942821-9

PS9553.E674B362 2015

Illustration de la couverture: Élise Gravel
Conception graphique et mise en pages: Amélie Côté
Correction-révision: Bla bla rédaction

© 2016 Les éditions FouLire inc.
4339, rue des Bécassines
Québec (Québec)
G1G 1V5
CANADA
Téléphone: 418 628-4029
Sans frais depuis l'Amérique du Nord: 1 877 628-4029
Télécopie: 418 628-4801
info@foulire.com

Les éditions FouLire reconnaissent l'aide financière du gouvernement du Canada pour leurs activités d'édition.

Elles remercient la Société de développement des entreprises culturelles du Québec (SODEC) pour son aide à l'édition et à la promotion.

Elles remercient également le Conseil des arts du Canada de l'aide accordée à leur programme de publication.

Gouvernement du Québec – Programme de crédit d'impôt pour l'édition de livres – gestion SODEC.

imprimé avec des encres végétales sur
du papier dépourvu d'acide et de chlore
et contenant 100 % de matières recyclées
post-consommation.

FSC

IMPRIMÉ AU CANADA/PRINTED IN CANADA

LA BANDE DES quatre

TOME

ALAIN M. BERGERON ★ FRANÇOIS GRAVEL
MARTINE LATULIPPE ★ JOHANNE MERCIER

Quand je pense à la Bande des Quatre, je suis Coccinelle. Ce prénom me va tellement mieux que celui que mes parents ont choisi pour moi à ma naissance !

La Bande des Quatre, c'est Coccinelle, Pinotte, Ringo et Spatule. Quatre amis inséparables. Je sais, nous aurions pu être plus originaux, comme les trois mousquetaires qui, au fond, étaient quatre. Comme la guerre de Cent Ans, qui a pourtant duré 116 ans... Comme l'expression « quatre 30 sous pour une piasse ». Si on calcule bien, ça donne 1 dollar 20 ! Eh non, nous sommes bel et bien quatre.

Ce qui n'est pas banal, par contre, c'est que rien ne nous prédestinait à devenir les quatre meilleurs amis du monde.

Ringo habite à Victoriaville. Il est le spécialiste des blagues à moitié drôles (et donc aussi spécialiste des blagues à moitié plates). Il a une grande passion : les filles. Un champ d'intérêt majeur dans la vie : les filles (en particulier Pinotte). Mais surtout, il est toujours là pour ses amis, toujours prêt à nous aider et à essayer de nous remonter le moral. Je dis bien « essayer », car ça ne fonctionne pas tout le temps...

Pinotte, elle, habite à Limoilou. Elle ne déborde pas de confiance en elle, ce que personne ne comprend, car c'est une fille drôle, attachante, remplie d'énergie. Sa grande passion : le badminton. Un champ d'intérêt majeur dans sa vie : Kiwi, le beau moniteur du camp qu'elle a dû prendre en photo un million de fois l'été dernier.

Quant à Spatule, c'est le gourmand du groupe, notre insulaire, puisqu'il habite à L'Isle-aux-Grues, le plus posé des quatre aussi, selon moi. Il sait nous ramener sur terre comme nul autre quand nous nous embourbons dans des histoires de petit ami inventé, par exemple (croyez-moi, je sais de quoi je parle). Sa grande passion : manger, manger, manger ! Un champ d'intérêt majeur que Spatule a découvert cette année : le football.

Je suis le quatrième membre de cette joyeuse bande. J'habite la région de Charlevoix. Ma passion : les légendes. J'adore en raconter, en lire, en écouter. Je n'en ai jamais assez. Un champ d'intérêt majeur : le théâtre. Ce qui me définit le mieux ? J'ai une facilité déconcertante à me mettre les pieds dans les plats. Je suis vraiment très douée en la matière.

Comme je le disais, rien ne laissait présager qu'on deviendrait de si grands amis, de Victoriaville à Limoilou, de L'Isle-aux-Grues à Charlevoix. Mais il y a eu… le camp. L'été dernier, nous nous sommes tous retrouvés au même camp de vacances comme aspirants moniteurs. Quelque chose de magique s'est produit ! J'avais l'impression d'être entièrement moi-même. De ne plus jouer un rôle. Je n'étais plus cette fille ayant un prénom si peu approprié à sa personnalité. J'étais Coccinelle. J'étais heureuse et parfaitement à ma place. Tout comme Ringo, Pinotte et Spatule.

Depuis notre retour, bien sûr, les choses sont différentes. Plus question de jaser des heures de temps couchés dans le champ en regardant les étoiles. Plus de chasses au trésor avec nos campeurs ni de batailles de boue sur la grève. La routine a repris ses droits. Chacun est retourné chez soi, aux quatre coins du Québec. Mais on s'écrit souvent. Très, très souvent. On s'est revus une seule fois, en octobre. Soyons honnête : ça n'a pas été un grand succès. Surtout pour moi, qui me suis mis les pieds dans les plats plus que jamais. Le camp nous réussit mieux.

Ringo, Pinotte et moi, nous avons assisté à un match de football de Spatule, à Victoriaville. Après la partie, j'ai... je suis presque gênée de le dire... j'ai embrassé Spatule. Je ne sais pas ce qui m'a pris. (Bon, soyons encore honnête : oui, je le sais, j'en avais tout simplement envie.) De toute façon, c'est une histoire impossible. Il habite au bout du monde. Et on est la Bande des Quatre, pas la Bande des Deux. Aucune histoire d'amour entre nous, on l'a assez répété, c'est bien trop compliqué. Donc, dossier réglé.

Voilà. C'est nous. Quatre amis inséparables séparés depuis des mois. Heureusement, on s'écrit.

Au fait, mon vrai prénom est Sissi. Non, ce n'est pas un diminutif. Oui, Coccinelle me va vraiment mieux.

DE : Spatule

À : Coccinelle, Ringo et Pinotte

Les joueurs de mon équipe étaient fous de joie
dans l'autobus qui nous ramenait à la maison.
Il y avait de quoi : nous venions de remporter
notre plus belle victoire de la saison !

Pour ma part, j'étais tout mélangé.

Je repensais à mes quatre plaqués derrière
la ligne de mêlée et j'étais au comble de
la félicité (quelles rimes !).

Quand je repensais à nous quatre, par contre,
j'étais frustré. Moi qui avais espéré si longtemps
vous revoir, c'est tout juste si j'ai pu vous saluer.
Il faut remettre ça au plus vite ! Qu'est-ce
qu'on attend ?

DE: Spatule

À: Coccinelle, Ringo et Pinotte

Je me lève le matin, je relève mes courriels, rien.

Je rentre de l'école, je regarde mes courriels, rien.

J'y retourne le soir, toujours rien.

Qu'est-ce qui se passe ?

Qu'est-ce qui vous arrive ?

Ce que je n'ai pas dit aux autres, Coccinelle, c'est que je me lève même la nuit pour vérifier mes courriels. Chaque fois que je ferme les yeux, je repense à ce baiser que je n'aurais jamais osé espérer. Je ne suis pas mêlé, je suis estomaqué. Sonné. Abasourdi.

Et aujourd'hui, ce silence…

Dis-moi que tu le regrettes, dis-moi que tu ne le regrettes pas, dis-moi que c'était un accident, dis-moi que ce n'était pas un accident, dis-moi que ce n'était rien ou que c'était quelque chose de bien, dis-moi que c'était nul ou extraordinaire, dis-moi n'importe quoi, mais dis-moi quelque chose !

DE: Pinotte

À: Coccinelle, Ringo et Spatule

Yééééé! Enfin! Un message! Je n'osais pas vous écrire. Pire: j'étais certaine qu'on ne s'écrirait plus jamais. Pire que pire: qu'on s'était perdus pour la vie. J'ai imaginé le pire du pire, je ne sais pas pourquoi. C'est bien moi.

J'ouvrais l'ordi, je commençais un message, je l'effaçais, j'attendais les vôtres.

C'était vraiment génial de se revoir, mais c'est un peu mélangeant, des retrouvailles. On a hâte, on attend, on rêve, on est énervé, mais tout passe beaucoup trop vite. Au retour, on repense à tout ce qu'on aurait aimé dire ou ne pas dire, faire ou ne pas faire. Trop rapide, tout ça. Je m'ennuie encore plus qu'avant nos retrouvailles, on dirait.

J'espère que ce soir, il y aura tout plein de messages de vous...

Hé! ça me donne une idée! On devrait s'écrire toute la nuit sans arrêter.

Mais pas cette nuit. Un jour...

En fait, un jour, on s'écrira toute la nuit.

DE: Ringo

À: John, Paul et George (et surtout pas à Yoko)

Bon, vous aurez compris l'allusion aux Beatles, j'espère. Ah, Spatule! C'est quoi, ces inquiétudes-là? Rassure-toi: tu es dans mes pensées, tout comme Coccinelle et Pinotte (mais pas dans la même zone du cerveau, par contre; vous avez chacun votre espace).

Vous revoir, même brièvement, tous les trois, aura été mon plus beau moment de la saison automnale.

Pinotte, j'adore ton idée de passer une nuit ensemble à s'écrire. Je suis content que ça vienne de toi et non de moi. Qui sait ce qu'en auraient pensé Coccinelle et Spatule?

Je dors plutôt mal ces jours-ci. Ce n'est pas de l'insomnie. C'est ma petite sœur – vous savez, ma charmante petite sœur – qui fait des cauchemars à répétition. Elle se réveille en hurlant la nuit qu'il y a un Bouh-Bouh! dans son placard. Puis, elle sort de sa chambre en courant et se précipite sur le lit de mes parents. Une fois, elle s'est trompée de chambre et a débarqué en criant dans la mienne. Allô, le réveil brutal!

Et ça me prend un temps fou à me rendormir.
Mais pas elle! Oh que non!

Donc, si j'ai à être debout dans la nuit, autant
que ce soit avec vous, la Bande des Quatre! Une
demande: pas d'histoires de peur, s'il vous plaît!!!

Je vous promets d'être plus présent au cours
des prochains jours ou… nuits!

DE: Coccinelle

À: Spatule tout seul

Cher Spatule,

Je suis vraiment désolée de ne pas avoir écrit avant. Depuis quelques jours, ça n'a pas arrêté, je n'ai pas eu deux minutes.

(Faux. Traduction : Cher Spatule, j'avais très envie de t'écrire, mais je ne savais pas comment parler de ce qui s'est passé, alors j'ai gardé le silence, en me rongeant les ongles, seule dans ma chambre.)

Je ne te dirai pas que je regrette notre baiser et que c'était nul, parce que ce ne serait pas vrai. Mais je ne répéterai pas non plus ce que nous nous sommes déjà dit : aucune histoire n'est possible entre nous, on habite bien trop loin l'un de l'autre. (Voilà. Je viens pourtant de le répéter !)

Bref, on oublie tout ça, on fait comme si rien ne s'était passé. Et on reste les meilleurs amis du monde.

(Traduction : Ça reste un merveilleux souvenir que je garde précieusement, que je ne risque pas d'oublier, mais ça ne se reproduira pas. Et on reste les meilleurs amis du monde.)

DE: Spatule

À: Coccinelle

Je ferai comme s'il ne s'était rien passé, promis.
Mais je vais m'en souvenir toute ma vie.

Dis donc, Spatule, je ne sais pas si c'est parce que j'espérais plus qu'une simple poignée de main de la part de Pinotte ou parce que j'avais un drôle d'angle de vue (j'étais éloigné, quand même), mais j'avais la folle impression que Coccinelle et toi, vous vous étiez embrassés… Pas donné la main… Embrassés !

Dis donc, petite Pinotte, je ne sais pas si c'est parce que j'espérais plus qu'une simple poignée de main de ta part ou parce que j'avais un drôle d'angle de vue (j'étais éloigné, quand même), mais j'avais la folle impression que Coccinelle et Spatule s'étaient embrassés... Pas donné la main... Embrassés! As-tu vu ça, toi?

Embrassés? Attends… qu'est-ce que tu appelles
embrassés, Ringo? Embrassés pour de vrai?
Embrassés en amis ou embrassés en amoureux?
Un bec sur la joue ou un vrai baiser les yeux
fermés? Embrassés longtemps ou rapidement?
Combien de secondes? Qu'est-ce que tu as
vu exactement? Sois précis!

Soit tu me dis tout, soit tu ne me dis rien, Ringo!

Et même quand on s'embrasse, ça ne veut pas
toujours dire ce que tu crois…

DE: Pinotte

À: Coccinelle

Ça va, toi?

DE: Spatule

À: Ringo

Tu as rêvé. Ou alors tu étais somnambule et tu es entré dans mon rêve.

Quoi qu'il en soit, j'aimerais que tu ne me reparles plus jamais de ça.

DE: Ringo

À: Spatule, le coquin

Eh bien, tu voudrais éviter le sujet que tu ne ferais pas mieux! Bon, d'accord, tu peux dormir sur tes deux oreilles: disons que j'ai rêvé que tu embrassais Coccinelle. Est-ce que, dans ton rêve, c'était agréable au moins? Parce que de mon point de vue, ça semblait l'être... Et toi, as-tu rêvé que j'embrassais Pinotte? Parce que moi, j'en rêve!

Tu me le dirais, pas vrai, entre amis, si tu avais vraiment embrassé Coccinelle? Moi, j'ai seulement serré la main de Pinotte, et je te l'ai dit...

DE : Spatule

À : Vous trois, sans qui je ne ferais pas partie de la Bande des Quatre, et ce serait bien dommage!

Dans moins de trois mois, c'est Noël. Pourquoi ne pas nous faire un cadeau géant? Nous vivons loin les uns des autres, d'accord, mais aucun de nous n'habite en Australie ni en Patagonie, et nous ne sommes quand même pas démunis. Pourquoi ne pas nous organiser une vraie belle rencontre? Coccinelle, penses-tu que le camp est ouvert en hiver et qu'on pourrait y aller pour quelques jours? C'est toi qui connais le mieux le Vieux Hibou. Peux-tu le lui demander? Il y a peut-être des ateliers spéciaux pour les aspirants moniteurs amateurs de camping d'hiver? On pourrait aussi s'inscrire à un rodéo, suivre un cours de poterie, partir en expédition en ski de fond… Pour vous revoir, je suis même prêt à effectuer un stage de cuisine végétarienne. (Ne me demandez pas de jeûner, quand même!)

Qui fera la meilleure proposition?

P.-S. – Je ne sais pas comment ça se passe chez vous mais ici, à l'île, il y a une invasion de coccinelles. Il y en a dans toutes les fenêtres. Elles essaient d'entrer pour profiter de la chaleur. Si jamais tu viens frapper à ma fenêtre avec ton maillot à pois, Coccinelle, je te promets de ne pas te laisser dehors!

Quelle merveilleuse idée, Spatule! Je m'informe auprès du Vieux Hibou et je vous en reparle. Je ne peux pas imaginer plus beau cadeau de Noël que la Bande des Quatre réunie. Juste nous quatre. Pas de joueurs de football, de *cheerleaders*, de Magalie ou de parents dans le décor.

Je vote aussi pour ta proposition, Pinotte! Un jour, on va s'écrire toute la nuit. Ça va nous rappeler nos interminables discussions chuchotées au camp, le soir, quand les campeurs dormaient. Je m'ennuie du camp. Je m'ennuie de vous.

En attendant de vous écrire toute une nuit, je dois absolument vous raconter quelque chose... Grrr! Je fulmine! (Tu chercheras dans le dictionnaire, Ringo, je ne suis pas d'humeur à t'expliquer ce que ce verbe signifie!)

Vous vous souvenez de ma voisine, la petite Sophie-Laure, que personne ne veut garder? À part moi, bien entendu... Ce soir, je suis allée jouer à la gardienne pendant deux heures. Je la trouvais très agréable, à ma grande surprise. D'habitude, elle crie, elle n'écoute pas, elle ne veut jamais rien faire. Ce soir, aucun problème. Elle était même gentille... Je sais, j'aurais dû m'inquiéter. C'était louche. Je ne l'avais jamais vue aussi sage.

Là, je viens de rentrer à la maison. Et je constate que Sophie-Laure a bien profité du fait que je la laisse seule une petite minute et demie quand je suis allée à la toilette… En arrivant chez moi, j'ai voulu faire mon devoir de math… et devinez ce que j'ai découvert? MON LIVRE EST PLEIN D'AUTOCOLLANTS DE DORA L'EXPLORATRICE!!! Les pages débordent de Dora, de Chipeur le renard et de Babouche le singe. Je comprends mieux les grands sourires de mon adorable voisine… Pensez-vous que mes parents accepteront de remplacer ce livre, qui coûte une petite fortune, à cause de quelques collants? Bien sûr que non! Et je suis bien trop timide pour réclamer quoi que ce soit aux parents de la petite comique...

Me voilà prise avec Dora et ses amis jusqu'à la fin de l'année. On devrait toujours se méfier des voisines trop sages.

Se revoir pendant le congé des Fêtes, ce sera
génial! Et j'ai employé le bon temps de verbe!
Le futur simple, direct et parfait. Si jamais ça ne
marche pas pour le camp, je propose qu'on se
réunisse chez moi. La maison est petite, mais le
sous-sol est bien assez grand pour nous quatre.
On fera une sorte de réveillon! Avec un échange
de cadeaux! Nah! Pas besoin de cadeaux! C'est
nul, un échange de cadeaux. Oubliez ça. Et
oubliez l'idée du réveillon. Mais rien ne nous
empêche d'acheter des trucs de Dora à Coccinelle
pour compléter sa nouvelle collection...

On ira faire du ski, on ira patiner au Domaine
de Maizerets! On jouera au hockey dans la ruelle.
(À Limoilou, on a tout plein de ruelles.) Ça va faire
drôle de se voir en hiver, non?

Le soir, on fera un feu et on jasera longtemps,
comme au camp, avec un chocolat chaud, et
des guimauves brûlées pas terribles, et les super
biscuits de Spatule.

Pas le droit de dire non! Défense de changer
d'idée! Ringo, interdit de venir avec une Magalie,
comme au match de football...

Ce sera la première fin de semaine du congé des Fêtes. Pas de problème avec mes parents, je leur en ai glissé un mot. Ils sont d'accord. À inscrire dans votre agenda tout de suite.

Ma mère demande si vous aimez la dinde. Pas besoin de répondre.

DE: Pinotte

À: Coccinelle, Ringo, Spatule

Toujours pas de réponse… Ça ne vous ressemble
pas, ce silence. Conclusion : j'ai dit quelque
chose qu'il ne fallait pas. Vous me connaissez :
mes réponses sont souvent trop rapides dans
la vie, et dans les courriels, et partout.

Spatule, peut-être que tu tenais à aller au camp, cet
hiver ? Coccinelle, avais-tu déjà fait des démarches
auprès du Vieux Hibou ? Ringo, est-ce parce que je
t'ai interdit de venir avec Magalie ? Je suis désolée.

On ira au camp et on invitera toutes les Magalie
de la Terre, mais écrivez-moi, s'il vous plaît.

DE : Pinotte

À : Ringo

Es-tu fâché ?

Moi, fâché contre toi? Pourquoi? À cause de Magalie? Mais non!

Toutefois, ça me fait étrange de lire que même si tu embrasses quelqu'un, comme tu me l'as écrit il y a quelque temps, ça ne veut rien dire. Ce n'est pas anodin, embrasser quelqu'un.

DE: Pinotte

À: Spatule

Es-tu fâché contre moi, Spat?

DE : Pinotte

À : Coccinelle

Je ne vais pas bien. Dis-moi pourquoi je ne reçois plus de courriels de toi depuis mon invitation à passer une fin de semaine chez moi.

Je ne sais même pas comment tu vas.

Êtes-vous devenus la Bande des Trois ?

Tiens, il neige.

Spatule

À : Ma Pinotte salée préférée et mes deux
autres amis sucrés

Désolé de t'avoir fait patienter, angoissée Pinotte.
Si je ne t'ai pas écrit avant, c'est que j'attendais
une réponse de Coccinelle à propos de la possibilité
d'aller au camp cet hiver. On ne peut pas être à
deux places en même temps, malheureusement!
Qu'est-ce qui se passe avec toi, Coccinelle?
Le Vieux Hibou est-il si difficile à joindre?

Je trouve ton idée de nous recevoir à Limoilou
excellente, Pinotte! Oui! *Yes! Ya! Yeah! Sí! Da!
Yo! Ndiyo* (c'est en swahili)! Est-ce assez clair?

Je me charge des guimauves grillées et des biscuits,
évidemment, mais tu pourrais aussi demander à tes
parents de nous préparer des muffins, des gâteaux
aux carottes, des profiteroles, un pouding chômeur
et des carrés aux dattes. Après cette frugale entrée,
on s'attaquera à la dinde.

Je vous signale que je rentre de mon entraînement
et que je n'ai pas encore mangé. Je suppose que
c'est évident.

Je vous signale aussi que, oui, je vous envoie ce
courriel AVANT d'avoir avalé quoi que ce soit. Ça
paraît que vous êtes importants!

Cela dit, il faut se brancher. La balle est dans ton camp, Coccinelle !

Parlant de balle, je regarde souvent des matchs de football à la télévision maintenant que j'ai découvert ce sport (avant, je préférais le hockey), et je me dis chaque fois que ces joueurs sont de super athlètes et que j'ai des croûtes à manger avant d'atteindre leur niveau, si jamais j'y parviens. (Des croûtes garnies au fromage, bien sûr !) J'adore ce jeu. Je ne connais rien de plus poétique qu'une passe de touché ou un long retour de botté. La seule chose que je déteste, c'est que les matchs sont toujours entrecoupés de publicités (encore plus qu'au hockey !). Je baisse chaque fois le volume, je ferme les yeux et je pense aux meilleurs moments du camp. Et vous savez quoi ? J'en arrive à avoir hâte aux publicités !

Eh bien, promesse non tenue. Je voulais être plus présent au cours des derniers jours, mais c'est tout le contraire qui s'est produit. Mon grand-père s'est fracturé une hanche en s'accrochant les pieds dans une « craque » de trottoir. Il paraît que ça porte malheur de marcher sur une « craque » de trottoir... Je confirme !

Après un court séjour à l'hôpital, il a été dirigé vers un autre centre hospitalier pour de la phytothérapie. Il avait peur de devenir un légume et...

Mais non, c'est pour de la physiothérapie, pas de la phytothérapie (traitement par les plantes). C'est un gag de mon grand-père, pas de moi (il a fallu qu'il m'explique ce que ces thérapies voulaient dire). N'empêche : elle est pas mal drôle, mais à rebours.

Comme il aime rigoler et qu'il m'aime bien, on s'est vus assez souvent ces derniers jours. J'ai tout simplement manqué de temps pour vous écrire.

Ce qui n'arrange rien, c'est que ma charmante petite sœur monopolise l'ordinateur. Quand elle finit par laisser sa place, c'est mon père qui prend la relève pour son travail. Je passe toujours troisième. C'est injuste! Et il y a ma mère qui est dernière…

Vous venez dans mon coin pendant les Fêtes? Ce serait vraiment très agréable! Il y aurait du patinage sur le lac (la glace devrait être assez solide pour nous soutenir tous les quatre… Sinon, on apporte notre maillot pour un bain d'ours polaire!), du ski au mont Gleason, des randonnées en raquettes, même en chiens de traîneau (et tant pis pour mes allergies au poil d'animaux ; je suis prêt à souffrir pour vous voir tous les trois). Et Coccinelle, si tu es gentille, je te donnerai la permission de garder ma sœur.

Vous comprendrez que si vous venez à Victoriaville, vous ne pouvez pas rester seulement une journée. On en a pour quelques jours. Je m'engage à nous faire un chemin dans la neige à l'arrière de la maison pour nous rendre jusqu'au foyer extérieur. Petit feu en perspective avec guimauves et pieds gelés.

Mais j'avoue que Limoilou a un côté séduisant… Serait-ce à cause de notre Pinotte ou encore grâce à elle?

Bon, Pinotte, puisque tu insistes, je demanderai à Magalie de rester chez elle. C'est la Bande des Quatre, pas la Bande des Cinq. Et, parlant de dinde, j'aime beaucoup ça, tu peux le dire à ta maman. Surtout avec des atocas de ma région. Parce qu'on fabrique les meilleurs atocas au pays (et la meilleure poutine aussi). Et si Spatule nous préparait ses fameux hamburgers aux boulettes de crapaud? Tes parents pourraient y goûter et nous confirmer si c'est bon ou pas.

DE: Spatule

À: Coccinelle, Pinotte et Ringo

J'ai une confidence à vous faire. Vous souvenez-vous que je vous ai parlé de Chloé, cette fille qui avait sur moi un effet dévastateur? Le hasard la met souvent sur mon chemin, depuis quelque temps. J'ai donc eu plusieurs occasions de bavarder avec elle, ce qui m'a permis de découvrir qu'elle n'avait aucun, mais AUCUN humour! Rien! *Nothing! Nada! Chochote* (ça veut dire «rien» en swahili)!

Je la trouve soudainement beaucoup, beaucoup, beaucoup moins intéressante.

DE: Ringo

À: CSP (ne pas confondre avec la Commission scolaire des Patriotes)

Sérieux, Spatule? Plus de Chloé dans ta tête? Mais qu'est-ce qui l'a chassée? Le football? Les pubs télé? Tes études pour maîtriser le swahili?

Chloé n'a pas d'humour? Une semaine avec moi, et je peux t'assurer qu'elle rira de tous mes jeux de mots, débiles ou pas. Elle reviendra alors dans ton champ d'attraction et tu m'en seras éternellement reconnaissant.

Si, bien sûr, c'est son manque d'humour qui t'ennuie vraiment...

N'y pense même pas, Ringo. La belle Chloé est imperméable à toute forme d'humour, et le tien ne ferait pas exception. La seule façon de la faire rire serait de la chatouiller… Si tu la voyais, tu te porterais sûrement volontaire! (Cela reste entre nous, compris?)

Hé ho, les gars! Arrêtez un peu de parler de Chloé et de jeux de mots. Moi, je vous dis que c'est pas normal que Coccinelle ne réponde pas. Elle ne va pas bien, j'en suis certaine. Elle déprime à cause de je ne sais quoi ou de je ne sais qui… Et peut-être que quelqu'un devrait lui écrire en privé. J'ai un don pour dépister les déprimes, moi. En passant, je suis exactement comme toi, Spat. Pour tomber amoureux, il faut rire, sinon, ce n'est pas la peine.

DE: Spatule

À: Pinotte et Ringo

Tu as raison, Pinotte. C'est bizarre qu'elle ne réponde pas à nos courriels. Un de vous deux a-t-il son numéro de téléphone?

DE: Ringo

À: Spatule et Pinotte

La politesse aurait exigé que je mettasse (ah, si Coccinelle était là, elle m'aiderait avec ces conjugaisons compliquées et pas simples du tout) Pinotte avant Spatule, mais pas de temps à perdre.

Je n'ai pas le numéro de téléphone de Coccinelle. Pinotte l'a sûrement, non? Et Pinotte, si tu veux le mien (parce que j'ai un nouveau cellulaire, mon cadeau de fête), tu me le fais savoir, d'accord?

DE: Pinotte

À: Spat et Ringo

J'ai téléphoné chez Coccinelle au moins 10 fois depuis ce matin. Hier aussi. Jamais de réponse. Si je réussis à parler à Coccinelle ou à ses parents, je vous écris. Promis. En fait, le premier qui a des nouvelles en donne aux autres.

Je n'aime pas ce silence.

Et ce n'est vraiment pas mon genre de faire des drames avec rien. Ou peut-être un peu. Mais j'ai de l'intuition. Ma mère le dit souvent.

En passant, Ringo, devine quoi? J'ai eu un cellulaire pour ma fête, moi aussi!

Même date d'anniversaire, même cadeau! Fou, non?

À plus tard!

DE: Ringo

À: Pinotte et Spatule

Bon, j'ai respecté les règles de la politesse et de l'alphabet : les filles avant les gars ; le P avant le S.

Écoutez, peut-être qu'on s'inquiète pour rien. Coccinelle a peut-être une grand-mère qui s'est fracturé une hanche, elle aussi (je devrais peut-être lui présenter mon grand-père, veuf de son état). Et peut-être que j'abuse de l'adverbe *peut-être*…

À moins qu'elle ne soit troublée par quelque chose ? Un événement inhabituel dans la vie d'une adolescente ? Quelqu'un a une idée ? Spatule ? Tu es le dernier à lui avoir parlé lorsque vous êtes venus à Victoriaville, non ?

DE : Spatule

À : Ringo et Pinotte

Je suis le dernier à l'avoir vue à Victo, c'est vrai, mais elle nous a envoyé des courriels depuis ce temps-là. Je ne comprends VRAIMENT pas pourquoi tu reviens toujours là-dessus, Ringo.

Bon, on est tous nerveux et je sens que la tension
monte, les gars. Ringo, ce n'est pas la peine
de toujours revenir sur ce supposé baiser dont
tu aurais supposément été témoin.

Coccinelle nous a écrit depuis Victo. Elle allait
bien. Dans son dernier courriel, elle nous parlait
de la voisine et de Dora.

Cette nuit, je vais dormir avec mon ordi ouvert à
côté de moi, juste au cas.

Faites pareil !

Je viens encore de téléphoner chez C. Toujours
pas de réponse...

DE: Pinotte

À: Ringo

Spatule savait que je savais pour le baiser, hein?

DE: Ringo

À: Pinotte

Nooooon! C'était une histoire entre gars… euh…
je veux dire que deux gars se racontent. Je ne lui ai
jamais dit que j'avais bavas… euh… que je t'avais
rapporté cet épisode-là. Ouille! Spatule ne sera
pas très heureux. Je fais diversion.

DE: Ringo

À: Vous trois

Oui, j'inclus Coccinelle, parce que peut-être qu'elle est revenue et qu'elle nous lit, sans intervenir. Se peut-il que notre amie soit plongée corps et âme dans son théââââtre ? Vous savez à quel point elle peut aimer ça ! Elle veut suivre des ateliers l'été prochain, je vous le rappelle, avec son metteur en scène, Francis. Ce qui signifie qu'elle pourrait rater le camp… NOTRE camp ! C'est peut-être davantage ça qui est en jeu ici qu'une maladie ou un accident.

J'aimerais tellement que tu aies raison, Ringo ! Tellement !

Oh, et puis oui, je peux bien te l'avouer : il s'est bel et bien passé quelque chose entre elle et moi, après ce match de football. Tu n'as pas eu la berlue (quel drôle de mot !). Inutile de nier. Essaie donc de garder ça pour toi, cette fois-ci ! Il m'arrive de penser qu'elle veut maintenant couper les ponts avec moi et avec nous trois. Si c'était le cas, je me sentirais tellement coupable !

Te souviens-tu de cette légende des « quatre sans cou » qu'on avait inventée, au camp ? Nos quatre bonshommes sans cou qui marchaient en se tenant la tête, de peur que celle-ci parte au vent. C'est exactement comme ça que je me sens : je me tiens la tête à deux mains, en me demandant ce que j'ai fait.

DE: Ringo

À: Spatule

Ah, c'est bien ce que j'avais vu, finalement. J'en étais rendu au point de me dire que j'avais rêvé éveillé. Coccinelle n'a pas pu résister à ton charme de héros du match de football. J'ai moi-même failli t'embrasser quand tu as terrassé Charbonneau sur le terrain la troisième fois. Heureusement pour nous deux, je me suis retenu. Sinon, on se serait promis qu'il n'y aurait pas de suite…

Non, sérieux, je ne peux pas croire que Coccinelle abandonnerait la Bande des Quatre pour quelque chose d'aussi banal qu'un baiser! Garde la tête haute et le menton bien relevé. Je suis convaincu que tu n'y es pour rien, mon ami Spatule. J'ai davantage peur de son metteur en scène, son Francis, qui veut l'attirer loin de nous, loin de notre camp cet été.

Ou elle est tout simplement malade. C'est curieux à dire, mais c'est quasiment ce que je nous souhaite. Égoïstement.

DE: Ringo

À: Pinotte

Toujours pas de nouvelles de Coccinelle? Spatule se morfond. Je crois qu'il a peur de perdre sa Coccin... euh... je veux dire NOTRE Coccinelle.

Comme toi, j'aimerais bien dormir avec l'ordinateur ouvert cette nuit au cas où Coccinelle écrirait, mais mon père est fermé à l'idée...

DE: Coccinelle

À: Mes trois amis inquiets

Pas de panique! Pas d'hôpital, pas d'accident.
Je suis bel et bien vivante! Je m'en veux de vous
avoir inquiétés, j'étais convaincue que je vous avais
prévenus que je n'y serais pas cette semaine… Je
ne vous l'avais pas écrit? Vous êtes sûrs? Certains,
certains? Le message s'est perdu, peut-être?

Mes parents étaient partis tous les deux, pour un
voyage dans le Sud en amoureux. Pffft… Oui,
je suis jalouse. Il me semble que j'aurais pu aussi
y aller, dans le Sud, et qu'ils n'auraient pas été
moins amoureux pour autant. Mais non. Moi, au
lieu de me faire bronzer et de me baigner dans la
mer, je passais plutôt la semaine chez mon parrain
et ma marraine, qui sont très gentils et tout…
sauf que chez eux, le temps s'est arrêté il y a une
trentaine d'années. Je n'exagère même pas. Mon
oncle et ma tante ont une boutique d'artisanat.
Mon parrain crée des sculptures sur bois, ma
marraine tisse des linges à vaisselle. Je les adore,
mais j'ai l'étrange impression de ne pas habiter
la même planète qu'eux! Pour vous donner
une idée, le matin, pas de céréales sucrées ni
de Nutella. Pain et confitures maison. Ma tante
fabrique tous leurs vêtements; je ne sais même
pas si elle a déjà mis les pieds dans un centre
commercial. Ils n'ont pas d'ordinateur.

Oui, oui, vous avez bien lu : PAS D'ORDINATEUR !
Ça existe encore, ce type d'humains ! Donc,
ils n'ont évidemment pas Internet. Et comme,
MOI, je n'ai pas eu la chance d'avoir un cellulaire
à mon anniversaire, je n'avais tout simplement
pas accès à mes courriels ces derniers jours.

Bon, en rafale, maintenant.

J'aime trop l'idée de Pinotte ! On se reprendra
pour le camp, je n'avais pas encore joint le Vieux
Hibou. De toute façon, si je me rappelle bien, les
bâtiments du camp ne sont pas chauffés… Ouh
là ! On aurait eu froid ! (Chut, Ringo ! J'entends déjà
tes mauvaises blagues pour dire que tu aurais été
volontaire pour nous réchauffer, Pinotte et moi !)

Côté menu, j'aime la dinde. Mais pour être
honnête, ta mère pourrait bien nous proposer
des sauterelles grillées avec des atocas, j'irais
quand même, Pinotte. C'est tout dire. J'ai
tellement hâte de vous revoir !

Spatule : dommage pour Chloé… Tu devrais lui
laisser une chance. Peut-être qu'elle a un bon
sens de l'humour, mais qu'elle perd ses moyens
en ta compagnie. Ça nous fait parfois ça, quand
quelqu'un nous plaît, non ? On cherche nos mots,
on ne se trouve pas à la hauteur. On voudrait être
drôle, mais on ne l'est pas, et quand on ne veut
pas l'être, on l'est… Tu peux être intimidant pour
cette fille, Spatule.

Enfin, je ne veux surtout pas me mêler de tes histoires de cœur, mais tu es un ami si précieux que je souhaite que tu sois heureux.

Ringo : j'aime toujours autant le théâtre, mais je ne suis pas branchée pour l'été. La proposition de stage tient encore. J'ai jusqu'au 1er décembre pour donner ma réponse à Francis. J'aurais tellement aimé en parler avec vous au match, mais on n'a pas eu le temps.

Parlant de ce match, où Magalie, l'amie de Ringo, a malencontreusement échappé l'appareil photo par terre, je voulais savoir si tu avais réussi à récupérer tes photos, Pinotte. La carte était-elle abîmée ? J'aurais terriblement envie de revoir ces images de l'été dernier !

DE: Coccinelle

À: Ma petite Pinotte

Arrête de t'en faire, belle Pinotte! Franchement!
On ne deviendra jamais la Bande des Trois.
Ridicule. On est quatre. Pour toujours. Un pour
tous, tous pour un!

Enfin, des nouvelles de notre Coccinelle! Merci de nous avoir rassurés. On imaginait le pire («on» exclut la personne qui écrit)! Remarque que pas d'ordinateur pour quelques jours, peut-on faire pire?

Je perds le sourire quand je lis que tu dois donner une réponse à ton Francis pour ton stage de théâââtre le 1er décembre prochain. Si tu veux en discuter de vive voix avec nous pour t'aider à prendre ta décision, il faudra revoir ton agenda. Car on est censés se rencontrer pendant les vacances des Fêtes, soit presque un mois plus tard.

Si tu rates le camp l'été prochain, que restera-t-il de la Bande des Quatre? On ne sera plus que trois! Que seraient les mousquetaires sans leur d'Artagnan? Les Beatles sans Paul? Les Ninja Turtles sans Leonardo? Les Quatre Fantastiques sans l'homme élastique?

Ne pourrais-tu pas lui dire que tu aimerais réfléchir un peu plus? Laisse-nous une chance de t'aider!

Tu ne nous avais pas prévenus que tu partirais pour toute une semaine, Coccinelle. Tu ne me l'avais pas dit à moi, en tout cas.

Je t'en veux de nous avoir fait si peur pour rien.

Mais je te remercie de m'avoir donné une occasion de plus de me rendre compte que vous êtes si importants pour moi. Je me suis inquiété, oui, et pas rien qu'un peu. Es-tu sûre que c'est vrai, ton histoire de parrain et de marraine ? Que ce n'est pas encore une de tes histoires inventées pour te sortir du pétrin ?

Pour ce qui est de Chloé, elle m'inspire autant qu'une brique de tofu.

Et veux-tu savoir ce que je pense du théâtre, Coccinelle ? Très franchement, je préfère les jeux où il y a deux équipes qui s'affrontent. Et s'il faut aller voir des comédiens, je préfère cent fois le cinéma. Les décors sont mille fois plus beaux, la musique cent fois meilleure, les visages cinquante fois plus grands, on répète les scènes vingt fois pour ne garder que les meilleures prises et en plus, ça coûte cinq fois moins cher !

Eh bien, je suis touchée de savoir que l'activité que j'adore (le théâtre) t'ennuie à ce point, Spatule. Moi qui voulais vous proposer de venir me voir jouer Roxane à notre première représentation de *Cyrano*, je vais m'abstenir.
Je me disais qu'on aurait pu organiser d'autres retrouvailles, comme au football, afin que je vous fasse partager ma passion. Mais j'ai compris.
Je ne voudrais surtout pas t'ennuyer. Tu iras voir les Ninja Turtles au cinéma à la place. Les décors sont plus beaux, les visages plus grands, ça coûte moins cher… et je ne joue pas dedans.

Ah oui, j'allais oublier! En plus de ne pas aimer
le théâtre, monsieur Spatule me prend pour
une menteuse. Mon parrain et ma marraine
existent réellement, je le jure. Et j'étais chez eux
pour la semaine. Et je ne m'embarque plus dans
des histoires d'amour inventées, j'ai eu ma leçon.
C'est bien trop compliqué. Comme toutes
les histoires d'amour, d'ailleurs.

As-tu lu le dernier message de Coccinelle? Je me suis mis les pieds dans les plats et pas rien qu'un peu! Des souliers cloutés dans de la vaisselle de porcelaine! Quelle gaffe! Que dois-je faire? Je ne suis tout de même pas pour lui dire que c'était une blague: ce n'en était pas une! C'est vraiment ce que je pense! J'aurais dû garder mon opinion pour moi, évidemment. Comme quoi toute vérité n'est pas bonne à dire… En plus, elle m'accuse de l'avoir traitée de menteuse!

Tu es meilleur que moi dans ce genre de situation, Ringo. Aurais-tu inventé une machine à remonter dans le temps, par hasard? Ou juste une machine à ravaler ses paroles? *Help*!

DE : Ringo

À : Pinotte, Spatule et Coccinelle

Là, là, là… Bon… Je crois qu'il faudrait respirer par le nez profondément et ne pas tout prendre au mot, ne pas relever chaque virgule pour répliquer, tout de même. Coccinelle, je ne veux pas me mêler de ce qui ne me regarde pas, mais je n'ai rien vu ou lu dans le message à nous trois de NOTRE ami Spatule (vous avez noté le NOTRE en majuscules ? C'est parce que j'insiste…) où il te traitait de menteuse.

Je sais que les comédiens et les comédiennes au théâââtre doivent projeter leur personnalité jusqu'au fond de la salle pour être compris de tout le monde (ça, c'est quand il y a du monde au théâââtre, évidemment), mais il ne faudrait tout de même pas exagérer ici, non ?

Il n'y a pas de quoi en faire un… drame, après tout ! Peut-être même que notre ami Spatule jouait la comédie, lui aussi ! Hé, Coccinelle, tu pourrais lui trouver un rôle dans ta pièce de théâââtre !

DE: Ringo

À: Spatule

Oui, j'ai lu le message de Coccinelle. Ouch!
J'ai aussi écrit un petit mot à nos amies, mot
que tu as peut-être déjà lu, pour essayer de
dédramatiser cette histoire. Les filles ont tendance
à tout prendre au pied de la lettre, sans trop de
nuances. Elles s'emportent rapidement, pour
des raisons qu'elles seules connaissent, et se
défâchent, parfois, aussi vite. Il me semble que
Coccinelle n'est pas du genre boudeuse.

Peut-être Pinotte, par contre. J'ai encore en travers
de la gorge sa poignée de main quand vous êtes
venus à Victoriaville et qu'elle m'a dit au revoir de
cette façon si... amicale, sans affection.

Quand les Beatles chantent *Girls,* on peut les
entendre soupirer... C'est le soupir de quatre gars
inspirés et dans le vent qui aspirent à comprendre
les filles et qui n'y arrivent tout simplement
pas. Quand mes parents se chicanent, mon père
s'isole et bougonne en marmonnant que ça fait
20 ans qu'il est avec la même femme et qu'il ne
la comprend toujours pas. Mais au bout d'un
certain temps, une fois l'orage passé, ils reviennent
ensemble, amoureux, pas comme aux premiers
jours, mais amoureux quand même.

Je ne te dis pas que tu dois redevenir amoureux
de Coccinelle. Ça vous appartient, ça. D'ailleurs,
faudrait savoir si c'est de l'Amour ou de l'Affection
que vous éprouvez l'un envers l'autre. Évidemment,
c'est quelque chose avec un grand A… C'est tout
sauf minuscule, si tu vois ce que je veux dire.

Les Beatles ne chantent pas *Girls* avec un s, mais *Girl* au singulier. J'ai vérifié. Et puis John ne *soupire* pas, il *aspire*... Je le sais: je viens de l'écouter 10 fois de suite en soupirant! Le reste de ce que tu dis est par contre rigoureusement exact: il n'arrive pas à comprendre les filles. Moi non plus.

DE : Spatule

À : Pinotte

Je me rends compte que c'est rare que je m'adresse à toi, rien qu'à toi, chère Pinotte. Tu devines sûrement ce qui m'y amène. J'ai peur d'avoir commis une gaffe, et même deux immenses gaffes… Coccinelle n'aime pas le football, mais ça ne l'a pas empêchée de faire des pieds et des mains pour assister à mon match. Pourquoi est-ce que je lui ai avoué que je n'aimais pas le théâtre, même si c'est vrai ? J'aurais pu aller voir sa pièce et faire semblant d'aimer ça. Peut-être même que de la voir jouer m'aurait fait changer d'idée. Maintenant, elle ne me croira jamais. J'ai beau retourner tout ça dans ma pauvre petite tête, je ne trouve pas de solution.

Dis-moi ce que je dois faire, VITE !

DE: Pinotte

À: Ringo

Devine quoi, Ringo? Spatule vient de m'écrire.
En privé. Ce qu'il ne fait jamais. Ou rarement.
Bref, c'est clair qu'il ne va pas bien. Normal
avec ce qu'il a balancé à Coccinelle à propos
du théâtre. L'amour lui fait dire n'importe quoi.
Je connais. J'ai vécu ça mille fois. Maintenant,
il regrette. Je connais aussi. Mais ce n'est pas le
pire. Spatule me demande conseil. Ce n'est pas
simple. S'il fallait que je complique tout… Ce
serait bien mon genre.

J'ai trouvé! Je suis trop géniale. Je sais ce que
je vais lui dire. Oublie mon message, Ringo.
J'ai l'occasion de prouver à Spatule que je suis
une véritable amie et c'est précisément ce que
je vais faire.

Je te laisse. J'écris à Spat. Bye!

DE: Pinotte

À: Spatule

Excuse-toi, ça presse!

DE: Ringo

À: Pinotte

Spatule t'a demandé conseil? Quelle drôle d'idée!
Il m'a écrit, à moi aussi, pour que je l'aide à se
sortir du pétrin. Coccinelle a pris tout ça trop au
sérieux, si tu veux mon avis.

Je crois que les mots de Spatule ont dépassé sa
pensée. Le théâââtre n'est pas le football, je le
concède, mais lui et moi, on aurait fait l'effort
d'assister à la pièce de Coccinelle. Ce n'est pas
un formidable témoignage d'amitié, ça?

Tu ne pourrais pas lui faire entendre raison
un peu (à Coccinelle, pas à Spatule) avant
que nos échanges ne dégénèrent?

DE: Pinotte

À: Ringo

Je peux (à la limite) comprendre que des
« sentiments » mélangés ont poussé Spatule à
dire des mots qui dépassent sa pensée. Je peux
parfaitement comprendre que Coccinelle soit
blessée. Mais j'avoue que je ne te comprends
pas, TOI! Tu appelles ça *quelques phrases
malheureuses*? ET TU PRENDS SA DÉFENSE? C'est
de la solidarité masculine ou de la mauvaise foi?

Tu devrais peut-être tourner ta langue sept fois
avant d'écrire, Ringo.

Ma Coccinelle, tu as de la peine. Je sais. Mais...
j'espère que tu vois les raisons qui ont poussé
Spatule à exploser de la sorte. Tu lui dirais que
tu t'en vas à Paris, il te répondrait que c'est la ville
la plus laide au monde.

Il le regrette sûrement déjà.

Parfois, nos courriels partent trop vite. On est
comme ça, la Bande des Quatre. Écris-moi, s'il
te plaît. Il faut absolument qu'on se parle.

DE: Pinotte

À: Vous trois

Je propose un petit Skype! Ce soir! Vers 8 heures.
Ça va tous nous faire du bien.

DE: Pinotte

À: Vous trois

Avez-vous reçu ma proposition de Skype?

DE: Pinotte

À: Mes amis silencieux...

Bon, j'ai compris. Pas de Skype...

DE : Pinotte

À : Spatule, Coccinelle et Ringo

Je veux juste vous dire que j'ai récupéré mes photos de camp. Toutes mes photos. Ce soir, je les regarde et ça me rappelle que...

Qu'il ne faut surtout pas qu'on se perde. Peu importe ce qui est arrivé ou arrivera.

DE: Pinotte

À: Ringo

Scuse. J'ai pas été chouette avec toi dans
mon dernier courriel.

DE: Ringo

À: Pinotte

Je suis d'accord : tu n'as pas été chouette avec moi.

Devrais-je accepter tes excuses?

Laisse-moi réfléchir un instant.

(Un instant plus tard.)

Oui.

DE: Coccinelle

À: Ringo et aux autres

Ringo, tu dis ne pas vouloir te mêler de ce qui ne te regarde pas : c'est raté. As-tu vraiment lu le message de Spatule ? Sans chercher à relever chaque virgule, je cite : « Es-tu sûre que c'est vrai, ton histoire de parrain et de marraine ? Que ce n'est pas encore une de tes histoires inventées pour te sortir du pétrin ? » Si ce n'est pas se faire traiter de menteuse, ça…

Soupir.

Qu'est-ce qui se passe avec nous ? On était ensemble 24 heures sur 24 l'été dernier, et pas une seule chicane. Jamais.

J'ai presque envie de retourner chez mon parrain et ma marraine. Sans ordinateur ni Internet. J'apporterai mon Nutella.

DE: Ringo

À: Coccinelle

Je crois que si Spatule t'a dit tout ça, c'est qu'il est comme Pinotte et moi : il a peur de te perdre si tu cèdes aux sirènes du théâââtre ! Dis donc, j'espère que j'utilise le mot *sirènes* dans le bon contexte. J'ai lu ça hier dans un livre (je ne fais pas de théâââtre, moi, je lis...) et j'aimais l'expression. Et tu sais comme j'adore t'impressionner.

Allez, un petit sourire !

DE : Ringo

À : Spatule

Eh! j'ai une idée pour expliquer ce qui s'est passé avec tes derniers messages. Ce matin, j'ai lu dans le journal un reportage où il était question d'un jeune joueur de hockey qui avait été victime d'une commotion cérébrale à la suite d'une solide mise en échec.

Le garçon a perdu la carte non seulement pour le reste du match, mais également pour les jours, les semaines et les mois à venir! Il a dû laisser l'école pendant un long moment, car il avait trop mal à la tête et n'arrivait pas à se concentrer.

Tu pourrais toujours expliquer à Coccinelle que tu as subi une commotion cérébrale lors d'un match de football, plus tôt cet automne, et que les effets se font encore sentir. Tu n'es plus le même. Tu dis des choses qui n'ont pas toujours de sens. Tu écris des courriels qui ne reflètent pas nécessairement ta pensée.

Tu embrasses les filles...

Euh... non! C'est Coccinelle qui t'a embrassé... A-t-elle subi une commotion cérébrale en faisant du théâââtre?

Ou sinon, ben, dis-lui la vérité, tout simplement.
Au risque de créer une autre commotion…

DE: Spatule

À: Ringo

J'aurais trop peur de m'empêtrer dans mes mensonges. Merci quand même, Ringo!

DE : Spatule

À : Coccinelle, mais je veux que Ringo et Pinotte soient témoins

On est samedi soir, il est 11 heures et je n'ai pas envie d'aller dormir, ni de regarder la télé, ni de lire un bon gros roman d'horreur, ni même de me préparer une collation. Ça fait deux jours que je tourne et retourne des phrases dans ma tête et je ne trouve jamais les bonnes, et plus j'attends, plus j'ai l'impression de m'enfoncer, je tourne tellement en rond que je suis en train de creuser des trous dans le gazon, alors j'arrête et je fonce droit devant, tant pis pour ceux qui seront dans mon chemin. Je te présente mes excuses, Coccinelle. Voilà, c'est fait. Je peux même mettre un genou au sol et enlever mon casque de football, si tu veux.

Je n'essaierai pas de prétendre que j'ai voulu faire une blague en précisant ce que je pense du théâtre. Ce n'en était pas une. C'est vraiment ce que je pense, oui, je préfère de loin le cinéma, c'est la vérité, mais je n'étais pas obligé de l'exprimer de cette manière, sans réfléchir à ce que ça représente pour toi. C'était seulement une façon de te dire que tu peux bien aller à ton camp de théâtre si tu y tiens absolument (j'ai même été le premier à t'y encourager, souviens-toi), mais que j'aimerais un milliard de fois plus que tu reviennes au camp avec nous, voilà, c'est ça que je veux, bon !

Je ne pense pas non plus que tu es menteuse, même si tu es capable d'inventer de super bonnes histoires. C'est juste que j'avais du mal à croire que des gens pouvaient encore vivre sans Internet, c'est tout. Et puis, je m'inquiétais de ton long silence, alors je me faisais du mauvais sang, je m'imaginais des scénarios débiles dans lesquels il n'y aurait plus de Bande des Quatre, mais seulement une bande de quatre sans cou qui perdaient leur tête à cause d'un méchant coup de vent.

Je te présente mes excuses pour ça aussi, Coccinelle.

DE: Ringo

À: Vous autres

Bon, puisque tu insistes, j'accepte tes excuses, Spatule. Maintenant, on peut passer à autre chose? Qu'est-ce que tu attends pour nous envoyer tes photos, Pinotte?

DE: Coccinelle

À: Spatule, Pinotte, Ringo

J'ai bien reçu tes excuses, Spatule. Je les accepte,
même si ça n'efface pas tout.

Cette histoire m'a fait beaucoup de peine.

Ne m'écrivez pas. Je vous écrirai quand je me
sentirai prête.

DE: Coccinelle

À: Spatule, Ringo, Pinotte – deux minutes et demie plus tard

J'ai plein de défauts, mais je ne suis pas du tout rancunière.

Puisque je ne peux pas imaginer mes journées sans vos courriels, et puisque je ne peux pas imaginer ma vie sans la Bande des Quatre, disons qu'on fera comme si rien ne s'était passé. On reprend à zéro.

Sais-tu ce qui m'a fait le plus de peine, Spatule ?
Ça ne t'a même pas effleuré l'esprit que je n'aime
pas plus le football que tu aimes le théâtre. Mais
je ne te l'aurais jamais dit parce que je tiens à toi.
Et habituellement, les gens à qui on tient, on les
traite bien.

Voilà. Fin de l'histoire.

La Bande des Quatre demeure, mais on ne se verra
plus seule à seul. Et on ne s'écrira plus en privé,
tous les deux. C'était la dernière fois.

DE: Spatule

À: Coccinelle

Ça ne m'a pas *effleuré* l'esprit, comme tu dis, ça me l'a complètement *occupé*, même que je l'ai écrit en toutes lettres à Pinotte, demande-le-lui!

Je suis d'accord pour ne plus s'écrire en privé. Jamais jamais jamais. Promis. (Mais on a le droit de changer d'idée!)

DE: Pinotte

À: Spat, Coccinelle, Ringo

C'est tellement l'enfer. Chez moi, tout disparaît!
Les clés, les cartes de guichet, les bas, les lunettes,
les téléphones, les chips. Tout! Une belle famille
de distraits (la théorie de ma mère). Une sorte de
maison hantée (ma théorie). Mon père dit souvent
que ma mère est la seule personne capable de
perdre un frigo dans sa cuisine. Il exagère à peine.
Le problème, c'est qu'il n'est pas mieux. Et mon
frère est encore pire. Tout ça pour vous dire que
j'ai la carte mémoire avec les photos du camp, un
nouvel appareil photo pour visionner les images,
mais... pas de fil pour le raccorder à l'ordi. Où est
passé le fichu fil? Mystère.

J'ai tellement hâte de vous envoyer des photos.
Pas toutes, j'ai sélectionné mes préférées. Celle de
Ringo et Kiwi dans la grotte est plutôt légendaire.
Le regard paniqué de Ringo... Attendez de voir...
Aussitôt que je trouve le fil, je vous promets de...

Oh, je vous laisse! Ma mère vient d'entrer dans
ma chambre avec le fil!

Yé!

À plus!

DE: Pinotte

À: Mes amis (trois minutes plus tard)

C'était pas le bon fil.

Parlant de maison hantée… je dois absolument vous raconter ça! Au bout de ma rue, il y a une vieille maison délabrée, avec une tourelle. On la dirait directement sortie d'un film d'horreur. Hier, la dame qui y habite, seule avec son fils de six ans, est venue me demander pour garder toute la soirée (la mère de l'adorable Sophie-Laure a beaucoup vanté mes mérites, paraît-il). Je sais que j'ai de l'imagination, mais honnêtement, la maison est impressionnante. Les planchers craquent, les pièces sont sombres, les fenêtres sont drapées de gros rideaux de velours.

Le garçon (il s'appelle Nathan) dormait depuis environ une heure, j'étudiais dans le salon, et tout à coup, j'entends un long grincement: iiiiiiiinnnnn. J'ai bondi trois pieds dans les airs! Sérieusement, j'avais si peur que j'avais les jambes molles… J'aurais voulu m'enfouir sous une couverture et ne plus bouger. Mais en bonne gardienne responsable, j'ai pris mon courage à deux mains et j'ai fait le tour de la maison (bon, OK, je peux bien vous l'avouer, je suis d'abord passée par la cuisine chercher une paire de ciseaux). Mon arme à la main, j'ai tout visité, pièce par pièce, avec un mal de ventre terrible tellement j'étais crispée. Nathan dormait profondément, c'était clair qu'il n'avait pas bougé. Finalement, juste à côté de la porte d'entrée, j'ai vu la porte du placard où on range les manteaux grande ouverte. Elle était fermée plus tôt, je vous le jure (je l'ai fermée moi-même en y mettant mon manteau). La proprio est arrivée une heure après (je n'ai jamais eu aussi hâte de quitter une maison!). Quand je lui ai raconté ça, elle m'a débité une histoire de plancher pas au niveau pour justifier le fait que la porte s'ouvre toujours toute seule. Mais moi, j'avais plutôt en tête les histoires que tout le monde rapporte à l'école comme quoi cette maison est hantée… Je suis rentrée chez moi en courant.

J'en ai encore la chair de poule. J'ai assisté à une manifestation surnaturelle, vous vous rendez compte?

DE: Ringo

À: Mes zamis

En plus d'être une bonne comédienne, Coccinelle,
tu maîtrises déjà l'art de raconter des histoires. On
y croit presque, à ta maison hantée. Si ta carrière
dans le théâââtre n'aboutit pas, tu pourrais toujours
regarder du côté de l'écriture et embrasser Spat…
euh… je veux dire embrasser une carrière
d'auteure, tiens!

Il y a deux histoires de fantômes à L'Isle-aux-Grues.
La première est celle d'un homme sans tête qu'on
voit parfois courir sur la route, à la nuit tombée, mais
il y a longtemps qu'on l'a vu. Ne me demandez pas
où j'ai pris mon inspiration pour mon histoire des
quatre sans cou!

La deuxième est plus inquiétante. Comme vous le
savez peut-être, le peintre Riopelle a fini ses jours
à l'île. Il avait acheté le manoir MacPherson, une
ancienne auberge. Plusieurs personnes pensent
très sérieusement qu'une des chambres est hantée.
On y entendrait le bruit d'un lit qui grince alors
qu'il n'y a personne... À l'époque où le manoir
était une auberge, plusieurs employés refusaient
d'aller y faire le ménage.

Savez-vous ce que je crois? Les grincements
existent bel et bien, mais ils ne sont pas causés
par le fantôme de quelqu'un qui serait mort dans
cette chambre. C'est plutôt Ringo qui s'entraîne
dans un gymnase pour ressembler à Kiwi!

DE: Ringo-Louis Cyr

À: Mes zamis les zhantés

Spatule, je ne veux pas ressembler à Kiwi, voyons. Il
ne faut vraiment pas avoir d'ambition! Si je soulève
des haltères aussi facilement que les petits pois d'un
hot chicken, c'est pour avoir des airs de Louis Cyr,
l'homme le plus fort du monde.

Et j'aimerais bien que vous arrêtiez de raconter
vos histoires de maisons hantées. Je ne devrais
pas vous lire avant d'aller me coucher. Je vais
en faire des cauchemars!

DE: Spatule

À: Coccinelle

As-tu enfin enterré la hache de guerre,
Coccinelle?

DE: Coccinelle

À: Spatule

Ah! ah! Bel essai, Spatule! Je t'ai dit qu'on ne s'écrivait plus en privé.

(Je dois admettre cependant que j'ai trouvé tes légendes de L'Isle-aux-Grues fascinantes. Merci! Tu sais combien j'adore les légendes! Si tu en apprends d'autres, tu me les raconteras!)

Bonne soirée. Et ne m'écris plus en privé.

D'accord.

(Connais-tu la légende du joueur de football pas de cœur?)

(Ce qui est mis entre parenthèses ne compte pas!)

DE : Coccinelle

À : Spatule

Bon. Contente que tu comprennes.

(Oui, je la connais. Ce n'est pas ma préférée…
Heureusement, j'en connais aussi des tonnes
d'autres avec le même personnage : le joueur
de football fidèle à ses amis, le joueur de football
super campeur, le joueur de football grand
cuisinier… Si tu es sage, un jour, peut-être que
je te les raconterai.)

(Quand on aura recommencé à s'écrire en privé
tous les deux.)

DE: Pinotte

À: Vous trois

Riez si vous voulez.

Mais je n'aime pas les histoires de maisons hantées. Je suis traumatisée, je pense. Quand j'étais petite, ma mère m'a raconté que sa mère avait une sœur, Alice, qui habitait avec eux. Chaque soir, Alice se berçait. Quand ils étaient au lit, ma mère et ses frères entendaient craquer la chaise.

Elle se berçait. Berçait. Berçait.

Un jour, Alice est morte. Je sais, dit comme ça, c'est soudain, mais je n'ai pas d'autres détails. Mais même si elle était morte (je parle toujours d'Alice), les enfants entendaient encore craquer la chaise !

Tous les soirs, la chaise berçait toute seule.

Je n'invente pas, là, vous le savez, j'ai zéro imagination. C'est un fait ! C'est arrivé pour de vrai. Dans ma famille. Et tout le monde avait peur, la nuit.

C'était le fantôme de la tante Alice.

Vous en parlerez à ma mère…

Coccinelle, si j'étais toi, je ne retournerais jamais garder à cet endroit lugubre. C'est clair qu'un fantôme veut te livrer un message en ouvrant la porte du placard.

Et rien ne dit qu'il est gentil.

Ark. J'aime pas ça.

Pas toi aussi, Pinotte! Je ne voulais pas lire ton message avant d'aller me coucher quand j'ai vu les premiers mots. Mais c'était plus fort que moi.

J'ai lu… et j'en ai eu des frissons (j'allais écrire «la chair de poule», mais après l'allusion au *hot chicken*, on pourrait presque croire que je suis commandité par Saint-Hubert…).

Ben, je vous confirme que j'ai cauchemardé toute la nuit à cause de vous trois et de vos histoires de chaises berçantes.

Je vous raconterai les détails à mon retour de l'école.

J'ai oublié un petit détail ce matin… Quand j'ai lu vos histoires de fantômes, hier soir, avant d'aller me coucher, la pièce était plongée dans la pénombre. Il n'y avait que l'éclairage projeté par l'ordinateur.

Votre façon de raconter ces récits d'horreur m'a tellement absorbé, m'a tellement rivé à l'écran, que je n'ai pas entendu quelqu'un ouvrir la porte du bureau…

Et ma petite sœur – vous savez, ma charmante petite sœur, celle que tu adores, Coccinelle ? – est arrivée derrière moi et a hurlé : « BOUUUUH ! »

À mon tour, j'ai crié, pas « BOUUUUH ! », mais bien : « AAAAAAAAAAAAAAAAAAAAAAAAH ! » Un cri aussi aigu que celui d'une fille !

Mon cœur battait à 200 la minute. Je pensais qu'il allait me sortir de la poitrine. Je devais avoir le visage cramoisi quand je me suis retourné vers ma sœur. Elle riait aux éclats, évidemment, très fière de son coup. Elle était si contente qu'elle en a fait pipi dans son pyjama. Je n'ai rien trouvé de mieux à dire que :

– Bien fait pour toi !

Ma mère est arrivée en coup de vent dans le bureau, se demandant ce qui venait de se passer et ce qui justifiait tous ces hurlements. Elle a vu le dégât naturel causé par ma petite sœur et a emmené cette dernière dans la salle de bain.

Fin de l'histoire? Même pas!

Parce que c'est vrai que j'ai cauchemardé toute la nuit. Vers 2 h 30 – je sais, j'ai regardé l'heure sur mon radio-réveil –, j'ai entendu un petit bruit dans ma chambre. Comme un glissement sur le plancher. Aaaargh! Je fais juste l'écrire et j'en ai des frissons.

Le glissement s'est arrêté près de la tête de mon lit. Près de MA tête! J'ai hésité à savoir si j'allais m'enfouir sous les couvertures ou m'enfuir de ma chambre… Il n'y a qu'une seule lettre de différence entre m'enfouir et m'enfuir, mais tout un monde qui sépare les deux actions. J'ai décidé d'affronter mes peurs et d'ouvrir un œil!

«BOUUUUH!» a hurlé l'apparition.

J'ai répondu tout en subtilité:
«AAAAAAAAAAAAH!»

Mais cette fois-ci, je suis sorti de mon lit pour poursuivre ma sœur dans la maison. En arrivant dans la cuisine, j'y ai vu une dizaine de chaises qui se berçaient toutes seules! Et des fillettes, copies conformes de ma démone de petite sœur, qui s'avançaient vers moi en poussant des «BOUUUUUUH!».

Je me suis réveillé dans mon lit, tout en sueur.

Je veux ajouter une clause à notre charte : ne pas raconter d'histoires de peur à ce pauvre Ringo, qui a décidément l'imagination galopante.

Je ne vous remercie pas.

DE : Pinotte

À : Spatule, Coccinelle et Ringo

Mon frère vient de me prêter un fil! Il dit qu'il n'est plus capable de m'entendre parler de mes photos de camp et qu'avec ce fil, tout sera parfait et que je pourrai vous les envoyer par courriel.

Je fais un petit test avec ma photo préférée. J'espère que ça va marcher. Mon frère me répète qu'il n'y a aucun problème, que la photo passera directement de l'appareil au courriel. Je ne comprends pas trop, mais je lui fais confiance. Il est très fort en informatique, mon frère.

Sur cette photo, les yeux de Spatule sont magnifiques, Coccinelle rayonne, Ringo a un sourire à faire fondre les cœurs et même moi, avec mon gros gilet à capuchon rouge, je suis pas si pire.

Quel magnifique souvenir!

J'adore cette photo.

DE: Coccinelle

À: Pinotte et compagnie

Pinotte, je voudrais bien te parler des yeux de Spatule ou du sourire de Ringo… mais on ne voit rien du tout sur ta photo! Que du noir! C'était la nuit, peut-être, après le couvre-feu, c'est ça? ☺

Est-ce que ça fonctionne pour que la Bande des Quatre se réunisse avant Noël? On n'en a pas rediscuté. Avez-vous fixé une date, et je n'ai pas vu passer le message? On devrait se raconter des légendes toute la nuit, écouter Ringo crier à cause de ses cauchemars et regarder nos photos!

Ma chère Pinotte, tu diras à ton frère qu'il refasse
ses devoirs! C'est noir! Comme dans la caverne
du mort, sur la montagne! À moins qu'il ne s'agisse
d'une photo d'un ours noir, les yeux et la gueule
fermés, par une nuit sans lune ni étoiles. Ton frère a
sûrement eu un «blanc de mémoire» pour obtenir
un résultat aussi noir.

Je vis un petit deuil. Ma saison de football est terminée. Une cuisante défaite en finale, si vous voulez tout savoir. Je ne vous dis pas le score.

C'est dur à avaler après avoir travaillé si fort, mais ce n'est qu'un jeu, après tout, et puis nous avons perdu contre les Coyotes, une très bonne équipe. Ce n'est pas grand-chose si je pense à tout ce que cette saison m'a permis de vivre.

J'ai appris des centaines de choses à propos d'un sport que je connaissais mal. Je ne regarderai plus jamais une partie de la même façon.

Je me suis fait de nouveaux amis, même s'ils ne vous vont pas à la cheville.

Je me suis mis en forme et je suis à la fois plus fort et plus confiant.

C'est sans doute la principale chose que je retiens, au fond. J'aime me dépenser physiquement. J'aime la sensation de bien-être qui nous envahit, quand on a tout donné. Je me sens calme, en paix, et l'effet dure longtemps. C'est une drogue propre, légale, et je peux me la procurer très facilement : il suffit de mettre mes souliers de jogging et de poser un pied devant l'autre. C'est souvent un peu difficile de partir, mais ça ne m'est jamais arrivé de regretter de l'avoir fait.

En plus, ça aide à accepter ses défaites. Toutes ses défaites.

Je suis allé faire du jogging dans mon sentier préféré, ce matin, et je me suis retrouvé face à face avec un chevreuil. On est restés figés pendant quelques secondes, puis il a disparu. Un moment magique.

J'ai repris ma course, et j'ai repensé à ce chevreuil que nous avions vu au camp, près du barrage des castors. Nous sommes restés figés pendant quelques secondes, jusqu'à ce que Pinotte se mette à fouiller dans son sac pour trouver son appareil photo. Notre chevreuil en a profité pour prendre la poudre d'escampette, évidemment. C'était un autre moment magique : il n'a duré que quelques secondes, mais on a eu l'impression que le temps s'était arrêté pendant de longues minutes.

Quand je pense à notre séjour au camp, je me dis que nous avons vécu des dizaines de ces moments magiques et qu'ils resteront longtemps imprimés dans ma mémoire.

Tout ça pour dire que la photo que tu nous as envoyée est magnifique, Pinotte ! Quand je la regarde, je vois tout ce que tu dis, et plus encore !

DE: Pinotte

À: Spatule

Tu es un poète, Spat.

DE : Ringo

À : Spatule, Coccinelle et Pinotte, mais surtout à Spatule

Oui, je sais bien que la saison de football est terminée. L'équipe de notre école s'est fait planter royalement en demi-finale par les Coyotes de Québec, 36 à 6. De quoi hurler à la lune !

La défaite a eu lieu à domicile, devant les partisans de l'équipe. C'était très gênant. Charbonneau, le quart-arrière (vous n'avez pas oublié Charbonneau ? Cette brute qui prenait plaisir à s'en prendre à plus petit que lui dans les couloirs de l'école ? Oui, CE Charbonneau-là), a été blessé à l'aine durant l'entraînement la semaine précédente. Du moins, c'est ce qu'il prétendait. Il faisait semblant de boiter en prétextant son mal à la laine ! Oui ! C'est ce qu'il disait haut et fort : « J'ai mal à la laine » ! Et moi, je lui répondais qu'il pouvait bien filer un mauvais coton.

On est plusieurs à croire que Charbonneau a fait mine d'être blessé, parce qu'il savait que son équipe n'était pas de taille contre les Coyotes (les Coyotes qui vous ont battus, cher Spatule, en finale, malheureusement). Il a agi ainsi par lâcheté, pour ne pas être humilié devant « ses » partisans. Plus orgueilleux que ça, tu te nommes Kiwi !

Donc, l'attaque de notre équipe a dû aller au combat avec un quart-arrière sans expérience de jeu, puisque Charbonneau monopolisait toujours le poste depuis le début de la saison, même pendant les entraînements. Le garçon appelé en relève a fait du mieux qu'il pouvait dans les circonstances, mais avec des résultats très prévisibles.

Charbonneau a clamé haut et fort que si son équipe avait perdu, c'était parce qu'il n'était pas en uniforme! Rien de moins! Et il y avait du monde pour l'écouter et lui donner raison.

Et je ne sais trop ce qui s'est passé dans sa tête, mais c'est comme si le match avec ton équipe n'avait jamais eu lieu. Comme s'il avait oublié que tu l'avais plaqué solidement à trois reprises et que tu l'avais averti de se tenir tranquille avec les autres élèves de l'école!

Charbonneau est redevenu arrogant et imbu de lui-même. Il a recommencé à jouer les matamores dans les couloirs de l'école. Je l'ai vu, deux fois plutôt qu'une, écraser un garçon de première secondaire dans son casier devant des équipiers, qui riaient. Car même si la saison de football est terminée, les gars continuent de se balader allègrement avec leur chandail sur le dos.

Charbonneau fait ce qu'il veut, maintenant qu'il sait que les risques de t'affronter de nouveau sur un terrain sont nuls, du moins jusqu'à l'année prochaine.

Est-ce que tu joues au hockey, Spatule? Parce que Charbonneau défend désormais les couleurs de notre école à ce sport. Il évolue au centre et se prend pour Sidney Crosby. Ben oui, c'est un athlète. Je ne veux surtout pas lui enlever ça. Mais est-ce que ça lui donne tous les droits pour autant? La réponse est non!

Voilà pour mon «bougonnage» du mardi matin.

Nous sommes nombreux, à l'école, à vivre le deuil de Charbonneau, celui de l'après-Spatule...

DE: Spatule

À: Coccinelle

(Il y avait une phrase rien que pour toi dans mon dernier courriel. Je veux juste m'assurer que tu l'as bien vue et bien comprise.)

DE : Coccinelle

À : Spatule

Décidément, tu es têtu! Je croyais qu'on ne
s'écrivait plus en privé!

(J'hésite. Serait-ce la phrase sur le moment
magique qui ne dure que quelques secondes
et on dirait que tout s'arrête? Si oui, je sais
exactement de quel moment magique tu parles.
Même que je le revois souvent dans ma tête, ce
moment. Trop souvent à mon goût.)

DE : Ringo

À : Pinotte

Pourquoi ai-je l'impression que Spatule et
Coccinelle s'envoient des messages privés ?

DE: Pinotte

À: Ringo

Des messages privés? Pourquoi s'écriraient-ils en privé? Et qu'est-ce qui te fait croire une chose pareille? À moins que ce ne soit seulement pour toi une belle occasion de m'écrire en privé? ☺

Ouvrons l'œil tout de même, Ringo. Décodons les indices. Il faut lire entre les lignes avec ces deux-là…

Le premier qui sait quelque chose en informe l'autre.

DE: Spatule

À: Ringo

Je crois que je viens de régler pour de bon l'affaire
Charbonneau. Son comportement devrait changer
au cours des prochains jours. Avertis-moi si ce
n'est pas le cas.

DE: Coccinelle

À: Pinotte, Ringo et Spatule

Les moments magiques vécus au camp resteront longtemps dans ma mémoire, moi aussi. Je m'ennuie du camp, de vous. Je m'ennuie du soleil qui se levait sur le grand champ et nous réveillait quand on dormait dans nos sacs de couchage à la belle étoile, de nos confidences chuchotées la nuit, de nos courses sur la grève, des câlins des campeurs, des réunions pour préparer les grands jeux où les idées les plus folles étaient toujours les meilleures. Je m'ennuie de l'odeur de la crème solaire, des jeux de ballon dans la piscine, des repas cuits sur le feu, des chansons à tue-tête lors de nos randonnées, des déguisements toujours plus colorés, des sourires complices lancés d'un bout à l'autre de la cafétéria. Je m'ennuie même des piqûres des moustiques, de faire la vaisselle en équipe, des *hot hamburgers* au pain détrempé de la cafétéria, de l'eau tiède des douches. Mais surtout, je m'ennuie de vous voir chaque jour.

DE: Spatule

À: Coccinelle

(Je parlais plutôt de la phrase sur les défaites, mais je suis VRAIMENT content que tu aies pensé à celle-là!)

(On ferme la parenthèse, d'accord?)

DE: Coccinelle

À: Spatule

Tu as le droit de m'aimer (en amie) et de ne pas aimer le théâtre.

J'ai le droit de t'aimer (en ami) et de ne pas aimer le football.

La prochaine fois, on essaiera juste de se le dire avec plus de délicatesse.

On ferme la parenthèse.

DE: Ringo

À: Pinotte

Tu vois, cette impression revient, celle que Spatule et Coccinelle continuent de s'écrire en privé… En dehors de nous! Pourquoi se privent-ils de nous le dire?

Je crois que même dans leurs messages à la Bande, les deux se glissent de petits mots doux ou des messages destinés l'un à l'autre. Quand Spatule parle de moments magiques, n'y vois-tu pas un clin d'œil à Coccinelle?

DE: Pinotte

À: Coccinelle, Ringo et Spatule

Désolée. On regardera toutes les photos du camp quand on se verra, d'acc? J'abandonne. Pour répondre à ta question, Coccinelle, je propose que vous arriviez chez moi le 22 décembre. On finit l'école le 21. Mais vous pouvez arriver le 21, ou même le 20, ou même demain matin!

Pour terminer mon drame d'horreur, voici à peu près la conversation que j'ai eue en soupant avec ma famille.

Moi: Maman, te souviens-tu de l'histoire de la tante Alice?

Ma mère fixait son assiette sans rien dire.

Moi: Maman?

Mon père: On ne parle pas de la tante Alice à la table…

Moi: Hein?

Mon père: Ça porte malheur…

Mon frère: Jamais entendu parler d'une tante Alice. C'est qui, elle?

Moi: Une morte qui faisait bercer une chaise toute seule…

Mon frère: Une morte?

Ma mère: Des histoires…

C'est tout!

Je n'ai pas su la suite. Mes grands-parents sont arrivés. Mes parents nous ont suppliés de changer de sujet et de ne jamais, jamais prononcer le nom de la tante Alice.

C'est vraiment bizarre.

Mon frère vient de sortir la chaise berçante sur la galerie. Y a comme une petite tension chez nous en ce moment.

Je vous laisse, j'entends craquer.

Tu peux compter sur moi, Pinotte! Dis à ta mère de me cuisiner une double recette de muffins! En attendant, je vous offre ce magnifique poème inspiré de nos derniers courriels :

Coccinelle s'ennuie des hot hamburgers
Et Pinotte nous raconte des histoires de peur.
On a du plaisir à s'écrire chaque soir
Mais j'ai bien hâte de vous revoir.
Espérons seulement que notre ami Ringo
N'invitera pas Yoko Ono!

En passant, modeste Spatule, je ne peux passer sous silence un fait qui est survenu lors de votre défaite en finale. Oui, j'ai mes contacts, moi aussi.

Les filles, même s'il est question de football, demeurez au poste, ça en vaut la peine.

L'équipe de Spatule tirait de l'arrière par trois touchés en fin de match. Il était évident que le club de notre copain allait perdre. Spatule a demandé un temps d'arrêt et est allé voir le capitaine de l'autre formation. Ils ont discuté ensemble une minute. Puis, Spatule est allé à son banc et a fait signe à un joueur de l'accompagner. Il s'appelait Romain et portait le numéro 38. Il a couru lentement jusqu'à la ligne de mêlée, à 25 verges de la ligne de but adverse.

Le ballon a été remis en jeu, et le quart-arrière de l'équipe de Spatule l'a tendu à Romain. Celui-ci s'en est emparé et a foncé. Et là, le jeu s'est complètement ouvert devant lui. Tous les joueurs se sont tassés pour lui laisser le champ libre. Mieux encore, les athlètes des deux équipes ont couru avec lui jusqu'à la zone de but. Ils l'encourageaient! Romain a marqué un touché! Son premier de l'année.

Les joueurs des deux clubs l'ont porté sur leurs épaules pour célébrer son exploit. Romain avait commencé la saison, mais avait été obligé de cesser ses activités sportives lorsqu'il a appris qu'il souffrait d'un cancer. Il a subi de nombreux traitements de chimiothérapie. Il a même dû arrêter l'école pendant plusieurs semaines. Mais Romain est de ces garçons d'une trempe exceptionnelle et il ne se laisse pas abattre. Quand c'était possible pour lui, il assistait aux rencontres locales de son équipe.

L'un de ses rêves était de réussir un touché dans une finale. Il l'a exprimé tout haut devant Spatule. Le souhait n'est pas tombé dans l'oreille d'un sourd. Et notre cher ami a tout planifié pour lui permettre de réaliser son rêve.

Je ne sais trop comment se porte Romain aujourd'hui. Mais mon informateur m'a assuré, Coccinelle et Pinotte, que son sourire valait à lui seul toutes les finales du football scolaire. Tout ça grâce à notre Spatule.

DE: Pinotte

À: Spatule, Ringo et Coccinelle

Ouf…

DE: Coccinelle

À: Spatule surtout, mais aussi à Pinotte
et Ringo

Quelle magnifique histoire! J'en ai les larmes
aux yeux.

Bravo, Spatule, c'est admirable!

Tu me donnes un trop beau rôle dans cette histoire, Ringo. C'est Steeven Vézina, un de nos ailiers défensifs, qui a eu cette idée. Quand je suis allé discuter avec le capitaine des Prédateurs, je n'étais que le porte-parole de mon équipe, tout était déjà planifié.

N'empêche que je suis bien content d'avoir pu participer à ce beau geste. Nous étions plusieurs à avoir les yeux qui picotaient lorsque le ballon a été remis en jeu.

Je ne sais pas s'il y a encore des gens qui pensent que les joueurs de football ne sont que des brutes. Si oui, ce sont des imbéciles.

Tu n'es pas que modeste, Spatule, tu es aussi un magicien à distance !

Charbonneau a recommencé à raser les murs et à ficher la paix à tout le monde. Il est redevenu le Charbonneau-après-Spatule ! On a presque le goût de se faire des *high five* dans les couloirs maintenant qu'ils sont à nouveau sûrs.

Quelle est ta recette ?

Je lui ai simplement envoyé un courriel, cosigné par tous les joueurs de la ligne défensive, dans lequel je lui rappelle que nous nous reverrons certainement sur un terrain de football l'année prochaine ou sur une patinoire cet hiver (certains membres de mon équipe jouent aussi au hockey) et que ce serait vraiment dommage que les prochains matchs donnent lieu à des débordements regrettables.
Il pourrait cependant s'éviter bien des problèmes en modifiant certains comportements dont nous avons entendu parler par des informateurs qui fréquentent son école, comportements qui jettent le discrédit sur les joueurs de football. Il n'en tient qu'à lui que ces matchs se déroulent sous le signe de la franche camaraderie.

P.-S. – Ça reste entre nous deux, d'accord ? Quelque chose me dit que les filles ne seraient pas d'accord avec ce genre de procédé.

P.-P.-S. – En faisant signer plusieurs joueurs de mon équipe, je me suis évidemment assuré qu'il ne pourrait pas remonter jusqu'à toi.

DE : Ringo

À : Spatule

Motus et couche bousue! Euh... bouche cousue!
Promis, juré, craché! Ça restera entre nous.

Merci beaucoup! Tu es un ange gardien, finalement!
J'apprécie vraiment ton intervention. Tu remercieras
discrètement de ma part, de notre part, tes amis
athlètes et joueurs de ligne.

DE: Coccinelle

À: Pinotte et aux autres

J'ai trooooop hâte à notre rencontre!

Je ne pourrai pas arriver le 21, c'est le soir de la représentation de *Cyrano* à mon école (et je joue Roxane... difficile de manquer ça!). J'avais envie de faire une blague et de préciser que, croyez-le ou non, certaines personnes aiment assez le théâtre pour assister à la pièce, mais je me suis dit que ce n'était pas très gentil.

Je sais, je viens quand même de faire cette blague. C'était purement intentionnel, oui.

Bref, tout ça pour dire que je vous rejoindrai le 22 au matin, le plus tôt possible. (Allez-vous m'en vouloir si je sonne à 6 heures?) Attendez-moi pour regarder les photos!!!

DE: Spatule

À: Ringo et Pinotte

Vous avez lu ça??? Coccinelle qui joue dans sa pièce le 21??? Je veux y aller, je veux y aller, je veux y aller! J'adore le théâtre! Au risque de me répéter: je veux y aller! On arrange ça en cachette, d'accord?

DE: Pinotte

À: Ringo

Salut, mon Sherlock! Je commence à penser comme toi... Spatule qui tient à aller au théâtre maintenant! Trop bizarre. Et il insiste. Et il répète : « Je veux y aller, je veux y aller! »

Ces deux-là nous cachent quelque chose, tu as raison. J'hésite à écrire en privé à Coccinelle pour la questionner.

Tu irais voir *Cyrano*, toi? Moi oui! Tu connais l'histoire? L'amour, Roxane, le gros nez et tout? En fait, ça me fait un peu penser à Spatule et à toi. Je t'imagine très bien demander à Spat d'écrire un beau discours d'amour à ta place. Mais tu n'as pas un gros nez, là... Ce n'est pas ce que je voulais dire. Il est parfait, ton nez.

Comment va Magalie?

Voilà! Merci de me donner raison! Spatule et le théââtre, c'est trop évident. Il faut lire: Spatule et Coccinelle! Le cœur a ses raisons, finalement!

Pauvre Spatule! Je devrai lui expliquer que lorsque Cyrano meurt à la fin (il meurt à la fin, non? Ils meurent tous, les héros, au théââtre!), ce n'est pas vrai! Il ne faudrait pas qu'il grimpe sur scène pour s'en prendre à l'assassin. Non mais, tu imagines la scène? Le comédien fait semblant de tuer Cyrano et son nez, et il voit Spatule et les joueurs de la ligne défensive de son équipe de football foncer vers lui! Ce serait trop drôle!!!

Bon, j'exagère un peu. Mais cet intérêt pour le théââtre et son insistance à vouloir y aller à tout prix (j'espère que les billets ne sont pas chers!) révèlent bien des choses.

Moi aussi, j'ai envie d'envoyer un petit mot à Spatule à ce sujet. Mais il n'aime pas beaucoup que je lui parle en privé de Coccinelle.

Merci de me comparer au gros nez de Cyrano (j'ai fait mes recherches, quand même). C'est un pic, une péninsule, un cap!

Ce beau discours d'amour que je demanderais à Spatule de m'écrire, à qui le livrerais-je ? À Magalie ? Pffft! Elle n'en comprendrait pas un traître mot. De toute façon, elle est retournée dans les bras de Charbonneau (en fait, je l'y ai poussée !).

Et toi, tu veux aller voir jouer Coccinelle au théâââtre ?

DE: Spatule

À: Ringo et Pinotte

J'ai besoin d'aide. Je n'ai pas envie de faire des commentaires déplacés dans le genre «Les unités spéciales feront la différence» ou «Cyrano devrait favoriser une défensive de zone». Que devrais-je faire pour me préparer? Lire la pièce (il paraît que c'est en vers!!!) ou regarder le film (ça dure trois heures!!!)?

Il y a de quoi paniquer: c'est très rare que j'assiste à des spectacles où il n'y a qu'une seule équipe qui joue et où on ne donne pas le score à la fin!

DE: Ringo

À: Spatule et Pinotte

Mon cher Spatule, souviens-toi de ceci : tu ne joues pas sur la scène ! Tu es un spectateur. Donc, tu regardes ce qui se passe devant toi. Tu n'as pas à savoir les répliques par cœur, allons ! Pas plus que les spectateurs connaissent les jeux que ton quart-arrière appelle au moment de la remise en jeu du ballon.

Lire la pièce ? Demanderait-on à Coccinelle de lire le cahier des jeux ??? Tu me fais rigoler, toi !

Spatule, pour avoir l'air d'un connaisseur du théââââtre, tu pourrais dire « merde » à Coccinelle, si tu la vois avant la représentation. Ma voisine Julie Lamontagne jure que ça porte bonheur aux comédiens. Et si tu croises Coccinelle après la pièce, il serait possible pour toi de l'aborder avec une formule classique du genre « Hé ! y a du travail, là-dedans ! » C'est gagnant, m'a-t-on assuré.

Au fait, est-ce qu'on sait quel rôle joue Coccinelle ? Est-ce que ça m'a échappé dans nos récentes conversations ?

DE: Coccinelle

À: Ceux qui habitent beaucoup trop loin

C'est terrible! On dirait que le fait de parler de
notre future rencontre en décembre me donne
encore plus envie de vous voir! Hé! j'ai une idée!
On se fait un Skype ce soir?

DE: Pinotte

À: Tous!

Ouiiii pour le Skype!

DE: Ringo

À: Tous!

Ouiiii aussiiii!

DE: Spatule

À: Tous

Impossible de *skyper*. La connexion Internet fonctionne au charbon de bois, et ce soir, c'est pire que pire! Figures déformées, images qui figent, écran noir, phrases coupées, j'aurais trop peur que ça se transforme en film d'horreur!

Pour parler franchement, je ne suis pas fou de Skype, de toute manière. Je déteste me voir en photo. Quand je bouge, c'est pire! Peut-être que je devrais toujours me faire photographier en costume de football, vu de dos!

Si on cherchait une confirmation de l'attirance de Spatule pour Coccinelle, c'est écrit en noir et blanc. Le pauvre garçon est prêt à se taper le film *Cyrano* pour sa belle! Tiens, je vais essayer autre chose. Je vais rappeler à Spatule qu'il n'y a pas de meneuses de claques au théââââtre. Ça devrait le faire réfléchir.

DE: Ringo

À: Spatule

Une question pour toi, Spatule : est-ce que tu savais qu'il n'y a pas de meneuses de claques au théâtre ?

DE: Spatule

À: Ringo

Imagine-toi donc que je le savais! (Mais est-ce qu'ils vendent des hot dogs pendant les entractes? Les comédiens ont-ils des numéros dans le dos? Vont-ils se reposer sur le banc des joueurs entre chaque scène? Les arbitres donnent-ils des punitions à ceux qui oublient leurs répliques? Les mises en échec sont-elles acceptées? Les comédiens versent-ils un baril de Gatorade sur la tête du metteur en scène quand ils gagnent le match?)

DE: Ringo

À: Pinotte

Ça y est! Spatule s'est vraiment dévoilé! Ça ne le
dérange même pas qu'il n'y ait pas de meneuses
de claques dans la pièce *Cyrano*. Ce n'est pas le
théââââtre qu'il aime, c'est Coccinelle!

DE: Pinotte

À: Ringo

Reçu cinq sur cinq, Sherlock! Je tente d'en savoir plus côté Coco! Je te tiens au courant.

DE: Pinotte

À: Coccinelle

On ira tous voir ta pièce, ma Coccinelle!
Mais dis-moi, est-ce que tu as plus hâte de
voir quelqu'un? Genre Spatule ou Ringo?
Je demande ça comme ça.

Sherlock? J'ai fait ma petite enquête personnelle très subtilement. Je suis pas mal fière de ma question. J'ai demandé à Coccinelle si elle avait plus hâte de voir quelqu'un, genre Spatule ou Ringo. Elle va tomber dans le piège. Si elle me répond : «Tu le sais bien, ma Pinotte adorée, que j'ai hâte de vous voir tous les trois!», c'est qu'elle est amoureuse de Spatule.

On devrait ouvrir une agence de détectives, toi et moi, Ringo.

On se complète bien dans les enquêtes, je trouve.

DE: Coccinelle

À: Pinotte

Comment ça, vous viendrez tous voir ma pièce?!?
Ça m'étonnerait beaucoup. D'abord, parce que les
gars détestent le théâtre. Ensuite, parce que c'est
le 21 et tout le monde a de l'école le jour. Penses-
tu que vous pourriez arriver à temps? (Dis oui, dis
oui, dis oui!)

Quant à savoir s'il y a quelqu'un que j'ai davantage
hâte de voir... tu le sais bien, petite Pinotte! Tu me
manques, c'est fou! J'ai tellement hâte de passer
du temps avec toi! Avoue que c'est la réponse que
tu voulais, coquine!

DE: Pinotte

À: Ringo

Coccinelle est follement amoureuse de Spatule. Mais sois discret. Elle fuit. Elle ne m'en parle jamais, ce qui veut tout dire. Classique. Crois-moi, je m'y connais. Je suis une spécialiste. Ce n'est pas une agence de détectives privés qu'on devrait ouvrir, nous deux, mais de conseils amoureux.

Donc, on se voit le 22. Pinotte parlait de venir voir la pièce le 21, mais c'est sûrement impossible pour vous, non?

Bon, d'ici là, moi, dans sept jours, le 1er décembre, je dois donner ma réponse à mon metteur en scène... Est-ce que je suis le stage de théâtre qu'il me propose tout l'été ou je retourne au camp?

Zut de zut de zut de zut de zut de zut.

J'aurais vraiment aimé vous voir avant et pouvoir en discuter avec vous.

J'ai fait une liste des pour et des contre.

Pour être honnête, j'ai fait une liste par jour, depuis deux semaines.

Même après 14 listes, je n'arrive pas à y voir plus clair. Je suis toute mêlée. Le stage pourrait m'aider à devenir une vraie comédienne professionnelle. Mais le camp... eh bien, c'est le camp. C'est magique.

Le camp ?

Le stage ?

Le stage ?

Le camp ?

Il ne reste plus qu'une minuscule semaine.

DE: Pinotte

À: Mes trois amis, mais surtout à Coccinelle qui ne se décide pas

Un mot vite vite. Mes parents sont sortis. Mon frère et moi, on pense faire une séance de Ouija ce soir. On va interroger l'esprit de tante Alice… Une idée qui vient de Cynthia, la blonde du meilleur ami de mon frère. Alors, si tout se passe bien, Coccinelle, je vais demander à la tante Alice si tu dois faire ton stage ou venir au camp avec nous trois.

Les morts n'ont tellement rien à faire qu'ils doivent aimer qu'on leur demande conseil, non?

Je vous redonne des nouvelles!

Excellente idée, Pinotte! Penses-tu qu'on peut influencer ta tante Alice? Je pourrais communiquer avec elle en faisant tourner la table de la cuisine! Je pourrais aussi mettre quelques muffins sur la table, un coup parti, et lui offrir un verre de lait!

Chose certaine, je sais très bien dans quel sens je veux l'influencer!

Sérieusement, Coccinelle, ne peux-tu pas faire un compromis? Tu irais à ton stage de théâtre pendant deux semaines et tu passerais le reste de l'été avec nous? Mieux encore: tu passerais une semaine à ton stage? Ou alors deux minutes? (Tu pourrais jouer une scène à Francis au téléphone!)

DE : Coccinelle

À : Mes adeptes de Ouija

Ha! ha! ha! ha! ha! J'ai tellement ri! Vous êtes adorables, Spat et Pinotte! Je suis déchirée, c'est vrai, mais quand même pas au point de remettre une décision si importante dans les mains d'une tante morte que je ne connais même pas et qui passe son après-vie à faire craquer le plancher.

Ha! ha! ha! ha! ha! Comme si je croyais à ces choses-là!

En tout cas, amusez-vous bien au Ouija.

P.-S. – Non, Spatule, pas de compromis! Si je m'engage à faire le stage, je dois y passer les six semaines. Plein de jeunes rêvent d'y être invités. C'est une chance incroyable que Francis m'offre. Je ne peux pas prendre la place d'un autre pour quelques jours seulement, puis m'en aller...

P.-P.-S. – Euh... Pinotte, tu me diras tout de même ce qu'Alice en pense. Je ne crois à rien de tout ça, hein, c'est juste par curiosité. Pour savoir. Au cas où. Bref, tiens-moi au courant.

Ma chère Coccinelle, je sais que la décision semble difficile à prendre, mais si je peux te donner un conseil, et crois-moi, je vais te le donner, on est jeune seulement une fois dans sa vie. Des stages en théââââtre, il s'en présentera au cours des prochaines années, j'en suis convaincu. Mais des camps avec la Bande des Quatre, ça, c'est une occasion qui ne reviendra probablement jamais plus. Qui sait si l'été prochain ne sera pas notre dernier ensemble? (On verse une petite larme, ici.)

Tu es encore toute jeune et tu as le temps de changer d'orientation pour ta carrière. Si, dans un an, tu décidais que les perspectives (c'est un beau mot, ça; tu devrais me féliciter) d'une carrière de comédienne au théââââtre ne t'enchantent plus et que tu te tournes vers, disons, un travail de cascadeuse professionnelle, ne regretterais-tu pas d'avoir raté ton été au camp? (On pousse un soupir de déception, ici.)

Et j'ai même une idée pour toi: l'été prochain, tu pourrais monter une pièce avec les enfants au camp. Ce serait formidable, non? Tu leur ferais goûter l'expérience du théââââtre. Et tu aurais même le droit de jouer un rôle, si tu en as envie. (On lâche un cri de joie, ici.)

Ringo, je suis tellement impressionnée! Bravo! Mille fois bravo! Non seulement tu as utilisé le mot *perspectives*, mais en plus... quelle sagesse! Dis donc! Toi qui nous as plutôt habitués à des blagues (souvent d'assez mauvais goût, je dois dire) sur les filles ou encore à des jeux de mots foireux (ce n'est pas moi qui le dis, c'est Spatule), voilà que tu te mets à philosopher. «On est jeune seulement une fois dans sa vie...» J'étais tout émue en te lisant. Tu m'as presque convaincue. Presque.

Plus que cinq jours avant de devoir annoncer ma décision à Francis, mon metteur en scène.

Vous ne me facilitez pas la tâche, les amis.

Moi, philosophe et sage? Ma chère Coccinelle,
c'est que tu ne me connais pas sous toutes
mes coutures. Je suis d'accord avec toi.

Pour les jeux de mots foireux, ce n'est pas parce
que Spatule le dit que c'est nécessairement vrai,
mais je constate ton plaisir évident à lui enlever
les mots de la bouche...

J'espère que la défunte tante Alice te fera entendre
raison avec le Ouija. Moi aussi, je suis très curieux
de l'entendre, celle-là. Est-ce qu'il y a des accents
circonflexes sur une planche de Ouija? Non? C'est
signe que le théââââtre n'y a pas sa place! Youpi!
Euh... je veux dire: quel dommage!

On devrait se taper un petit Skype pour réfléchir
en Bande des Quatre, puis te dire quoi faire...

Pinotte, je ne veux pas t'effrayer, mais je dois
t'avertir. Tu sais, le film *L'exorciste*, considéré par
les cinéphiles du monde entier comme le film le
plus terrifiant jamais tourné, ben, dans *L'exorciste*,
on joue... à Ouija. Je te dis ça comme ça...

DE: Pinotte

À: Ringo

Ça va, toi? «On est jeune seulement une fois dans sa vie»; «Notre dernier été ensemble»... Voyons, Ringo! Je suis inquiète.

C'est vraiment pas toi d'être si sérieux.

Tu peux tout nous dire. Ou me dire...

DE: Pinotte

À: Spatule et Coccinelle seulement!

Ringo ne va pas bien. Quelqu'un sait quelque chose? Magalie? L'amour? L'école? La famille? La santé? Sa petite sœur? Son grand-père?

Ou alors tout le monde le sait, à part moi?

DE: Spatule

À: Pinotte et Coccinelle

Je te trouve bien dramatique, Pinotte! Tu ne penses pas que tu exagères un peu avec ton intuition féminine? D'après toi, on ne peut pas être drôle et être philosophe en même temps? Pire encore: tu penses qu'un garçon ne peut pas être profond? Les garçons n'ont aucune sensibilité, c'est bien connu! Heureusement que nous ne sommes pas trop susceptibles!

DE: Ringo

À: La Bande

Il y a des jours, je dirais, où j'envie la tante Alice…
Mouais… Au fait, vous savez que le mois de
novembre, c'est le mois des morts?

DE: Spatule

À: Ringo

Euh… simple intuition masculine… Ça va, Ringo?

DE: Coccinelle

À: Ringo, Spatule, Pinotte

Voyons, Ringo, de quoi tu parles? Tu envies la tante Alice parce qu'elle peut passer sa journée à se bercer? Ou parce que Pinotte s'intéresse à elle? C'est ça, hein?

Bon, je suis de retour, mais pour pas longtemps, par contre. Vilaine gastro. Quelle était donc la source de toute cette inquiétude, chère Pinotte?

Si je parlais de ta tante Alice, c'est que de sa position de morte-qui-voit-tout, elle peut savoir à l'avance quelle sera la décision de notre Coccinelle: ira-t-elle, oui ou non, à son stage de théâââtre?

Donc, mon allusion à tante Alice était sans aucune autre arrière-pensée que le désir de découvrir les intentions réelles de notre amie. Je n'en démords pas: la Bande des Quatre sans Coccinelle, ce n'est plus la Bande des Quatre.

Au revoir, tout le monde. Je retourne me coucher...

DE: Spatule

À: Ringo et à ses deux admiratrices

Voilà notre Ringo ressuscité des morts! Youpi!

Permets-moi de te suggérer une recette de mon arrière-grand-mère Martha, qui sait guérir les gastros comme pas une (elle a aussi des recettes pour les ongles incarnés, les verrues plantaires, les peines d'amour et les cheveux qui se dédoublent, entre autres).

Faire cuire deux kilos de saucisses à hot dog coupées en dés dans un mélange de miel, de moutarde et de sauce soya.

Dans un autre chaudron, faire bouillir du gras de poulet et du lard salé dans du sirop d'érable. Aromatiser avec quelques cheveux que vous pourrez trouver chez votre coiffeur préféré et des souris mortes qui se sont noyées dans l'eau d'érable.

Mélanger le tout, napper de sauce brune, servir sur un nid de purée de pommes de terre froide et décorer de guimauves grillées.

C'est dé-li-cieux!

Martha (qu'on appelle Mémé) a un proverbe concernant la gastro: *Si tu digères mal, change de*

canal! Je n'ai aucune idée de ce que ça veut dire. Mon arrière-grand-mère est super gentille, mais nous nous demandons parfois si elle a toute sa tête.

DE: Ringo

À: Spatule et à ses deux *fans*

AAAAAAARK! J'ai failli revivre l'épisode des derniers
jours en lisant ta recette, Spatule! C'est dégueu,
c'est infect, c'est… à mourir de rire! J'adore le
proverbe de ta grand-mère! Trop drôle!!! Ça
m'a dilaté la rate plutôt que de me retourner
l'estomac! Merci!

Et c'est le meilleur moyen d'empêcher ma mère
de lire mes messages! Disons qu'elle a le cœur
et l'estomac sensibles ces jours-ci. Oh, écrivant
cela, je m'interroge à voix haute: est-elle enceinte
d'une autre petite et horrible sœur? J'espère que
c'est seulement des maux de passage…

Les filles, vous allez bien?

DE: Coccinelle

À: Ringo, Spatule, Pinotte

Tout va bien, berci les gars! Pas de gastro de bon côté… Qu'est-ce que j'ai à parler de bêbe? Je suis complètebent congestioddée! Un rhube terrible!

(Bon, j'arrête, mais imaginez que tous mes m deviennent des b et tous mes n deviennent des d, et vous y serez!)

Merci pour les nouvelles, Ringo, me voilà rassurée. J'espère que ta mère va mieux aussi (je miserais plus sur la gastro que sur une adorable nouvelle petite sœur). Comme le dirait l'arrière-grand-mère de Spatule, *Gastro qui roule n'amasse pas mousse* et *Mieux vaut prévenir que vomir*.

Parlant de maux de cœur… merci pour la recette, Spatule, me voilà sans appétit pour trois jours! J'aime vraiment mieux tes biscuits aux brisures de moustiques ou tes hamburgers aux boulettes de crapaud!

Je vous laisse, je retourne éternuer, larmoyer et tousser. Très agréable journée.

Dis donc, Spatule, dans le rayon des citations, Coccinelle chauffe les fesses de ton arrière-grand-mère ! J'adore ça !

Et tu avais raison, Coccinelle : ma maman n'était pas en mode famille. Ouf ! Finalement, j'étais peut-être plus contagieux que je ne le croyais.

Soigne bien ton rhume. S'il fallait qu'il nuise à ta diction quand tu seras sur scène !

Et ce n'est pas Francis qui va t'envoyer des messages de réconfort, comme nous, la Bande des Quatre. Pas vrai, Spatule ? Pas vrai, Pinotte ?

Ah! ah! Jaloux! A...aaa... aaaaatchoum! Merci pour le réconfort, Ringo. Un petit bouillon de poulet et une grosse doudou seraient aussi bien appréciés. Mais vous habitez malheureusement trop loin pour venir me les porter. Je pourrais toujours demander à Francis? Il ne reste qu'à quelques rues d'ici... ☺

Arkeeeee! Je ne lirai plus mes courriels avant de déjeuner! Merci, Spat, pour la recette.

Il faut que je vous raconte ma soirée Ouija. C'est affreux, mes amis. Affreux! J'ai une très mauvaise nouvelle pour vous. Pour nous.

D'abord, on s'est installés tous les quatre, mon frère, son ami Max, Cynthia Lacombe et moi, dans le salon, éclairé seulement par trois chandelles, dont une qui s'éteignait toute seule. On a soulevé le couvercle de la boîte de Ouija. Et devinez quoi? La boîte était remplie... de boules de Noël! J'ai vu ça comme un signe. Il ne fallait peut-être pas déranger Alice... J'ai dit aux autres que l'esprit avait sûrement caché la planche, mais mon frère a fini par la trouver dans le coffre de cèdre une heure plus tard.

Alors, on a interrogé l'esprit. Mon frère a commencé.

Voici dans l'ordre les questions et les réponses d'Alice:

Mon frère: Esprit, es-tu là? OUI

Mon frère: Es-tu l'esprit de Barbe-Noire? NON

Mon frère: Es-tu l'esprit de Barbe-Rousse? NON

Moi: Ben là! Tu vas pas nommer tous les morts!

Mon frère: Es-tu l'esprit de tante Alice? OUI

Vous dire l'ambiance. J'ai failli partir.

Moi: Est-ce qu'on peut vous poser plein de questions, tante Alice? OUI

Moi: Est-ce que mon amie Coccinelle sera au camp cet été? OUI

Cynthia Lacombe s'est levée. Elle a dit qu'elle ne se sentait pas bien. Elle est partie. Max l'a suivie. Mon frère a affirmé que le Ouija, c'était ridicule. Je l'ai supplié de rester pour deux questions.

Moi: Est-ce que c'est vraiment vrai, le Ouija? OUI

Et là... tenez-vous bien. J'ai posé la question la plus importante:

Moi: L'été prochain, est-ce qu'on va se retrouver tous les quatre de la Bande des Quatre au camp? NON

Moi: Hein? Qu'est-ce que vous voulez dire?

Mon frère est parti. Et comme je n'étais pas trop à l'aise toute seule avec Alice, j'ai rangé la boîte de boules de Noël et la planche dans le coffre de cèdre.

C'est affreux, le Ouija.

Je pleure depuis une heure. Pas capable d'arrêter.

Pas à cause de mon rhume, non.

Même pas à cause de la réponse de la tante Alice.

Si je pleure comme ça, c'est à cause de vous trois, ma gang de beaux fous !

Pour comprendre, il faut d'abord revenir en arrière, il faut retourner au camp, encore une fois ! Vous rappelez-vous l'atelier que j'ai fait, le dernier jour de l'été, avec mon groupe de filles de 7-9 ans ? Nous avions ramassé de grands morceaux d'écorce de bouleau et j'ai demandé à chacune d'écrire un message à quelqu'un d'important pour elle. Juste à la fin de mon activité, vous étiez arrivés, tous les trois, vous aviez pris de l'écorce et vous aviez écrit. Vous n'avez pas voulu me dire à qui, et je n'ai jamais su ce que vous aviez fait de vos messages.

Il y a une heure, je grelottais (à cause de mon rhume) et j'ai décidé de mettre une grosse veste, que je portais souvent cet été, que j'avais lancée en boule dans le fond de mon garde-robe au retour du camp et que je n'avais jamais remise depuis…

Devinez ce que j'ai trouvé dans la poche de ma veste?

Trois morceaux d'écorce de bouleau que vous y aviez cachés!

Je ne sais pas si vous savez ce que les autres ont écrit, alors je vous le dis. C'est trop touchant! C'est trop nous!

La première écorce que j'ai vue est celle de Pinotte. C'est écrit: «Amies pour la vie», avec plein de cœurs et de bisous.

Puis, Spatule m'a composé un poème:

Bon retour chez toi, Coco!
Ne nous oublie pas trop!
Continue à faire de la poésie,
Moi, je m'occupe du macaroni!

Enfin, sur le message de Ringo, il n'y a qu'une chose... T'en souviens-tu, Ringo? Eh oui, comme tout dragueur qui se respecte, tu as seulement mis ton numéro de téléphone! Que vous me faites rire! Et que je vous aime! Ça ne peut pas être un hasard que je trouve ces messages deux jours avant de donner ma réponse pour le stage, non? C'est un signe, vous pensez?

Pinotte: je suis certaine qu'Alice se trompe. Vérifie autour de toi quel genre de personne c'était.

J'imagine que quelqu'un qui a joué des tours toute sa vie deviendra un fantôme joueur de tours. Une personne qui aimait faire peur sera un revenant terrifiant. Peut-être qu'Alice a passé sa vie à raconter n'importe quoi et qu'elle continue, encore maintenant?

Tu sais comment on appelle ça, chère Coccinelle?
Un coup de théââââtre!

Ce n'est pas de la mise en scène, ça! C'est le
destin! Le destin qui te dit: «Allô? Ne fais pas de
bêtises! Tu sais qui sont tes vrais amis...» Et puis,
dans le mot *camp*, il y a quatre lettres, comme
la Bande des Quatre. Dans le mot *théâtre*, il y a
autant de lettres que... Francis. Aaaaaaargh! Ce
n'est qu'une coïncidence, après tout! Le rideau
tombe sur le stage.

Et la tante Alice, tout ça, c'est du vent! Je crois
qu'elle n'est plus l'ombre d'elle-même depuis qu'elle
est devenue un fantôme, n'est-ce pas, Pinotte?

Et puis, entre nous, Coccinelle, le numéro de
téléphone que tu as en main, c'est celui... de
ma mère. Je n'avais pas encore mon cellulaire
et je voulais t'impressionner un peu. Mais j'y
pense: l'écorce était pour Pinotte! C'est elle
que je voulais impressionner. Oups! J'ai fait
un mauvais appel avec mon écorce!

Mais c'est peut-être aussi pour te faire sourire et
te rappeler tout ce que tu manquerais si tu n'étais
pas avec nous au camp, l'été prochain!

Se peut-il qu'Alice soit dure d'oreille? Ça arrive
souvent, en vieillissant. Si j'étais à ta place, Pinotte,
je recommencerais et je demanderais à Ringo de
se tenir à tes côtés et de guider ta main. Le résultat
sera sûrement différent.

Comme le dit souvent Martha, mon arrière-
grand-mère préférée: *On ne mange pas de gelée
de groseille en fermant les oreilles!* Quand elle a
fini de rire, elle ajoute parfois: *Ce ne sont pas tous
les bigorneaux qui jouent au canasta!* Son humour
nous échappe à certains moments.

Tout ça pour dire qu'elle vieillit. Elle a 95 ans, mais
elle ne les fait pas. On lui donnerait à peine 94.
Parlant de vieillir, j'ai une question pour Coccinelle:
ce Francis dont tu nous parles tout le temps et qui
a l'air si extraordinaire, quel âge a-t-il, au juste? J'ai
toujours imaginé qu'il était très vieux, genre 40 ans,
et peut-être même 45. Est-ce que je me trompe?

Francis? Hum… il doit avoir un an ou deux de plus que moi. Et il est beau comme un dieu! On s'entend tellement bien… Lui et moi, on se tient beaucoup avec deux autres gars de la troupe et une fille, et on s'est donné le nom de la Bande des Cinq. C'est charmant comme tout, pas vrai? On s'entend teeeeellement bien! On s'écrit tout le temps et on peut se voir très souvent, en plus!

Ça répond à ta question, Spatule?

Meeeeeeeuh non! Je blague! Tout le monde est bien fin dans la troupe, mais je n'y ai pas de véritables amis. Personne que je vois en dehors du théâtre. Quant à Francis, il doit avoir au moins 50 ans. Il est adorable, gentil comme tout, mais physiquement pas très gâté par la nature, ce qui ne l'empêche pas d'avoir beaucoup de charme (mais personnellement, je ne suis pas du tout sensible à ce charme, surtout que Francis pourrait être mon père).

DE: Spatule

À: Coccinelle

Moi, jaloux?

Pas du tout!

Je voulais juste savoir, c'est tout!

Je m'en veux un peu de vous avoir parlé de Martha de cette façon. J'espère que vous avez deviné que c'est moi qui ai inventé ses proverbes. Elle a 95 ans, c'est vrai. Elle n'a plus toute sa tête, c'est tout aussi vrai. Mais si elle dit parfois des choses très drôles, c'est malgré elle et c'est un peu triste.

Est-ce que je vous ai déjà mentionné que Martha a été une chanteuse country assez connue? On l'appelait la Tornade gaspésienne, et ce n'était pas seulement en raison de ses talents de chanteuse. S'il y avait de la bagarre dans les hôtels où elle chantait, elle n'attendait pas que les videurs fassent leur travail! Elle a été la première à casser ses guitares sur scène, bien avant les groupes de rock. Dans son cas, cependant, elle les cassait sur la tête des spectateurs!

Mon père m'a déjà raconté qu'il aimait se faire garder par sa grand-mère quand il était petit: elle lui enseignait des prises de lutte!

Martha perd peut-être la mémoire, mais elle se souvient de centaines de chansons par cœur. Quand elle entonne sa préférée, *Quand le soleil dit bonjour aux montagnes*, tout le monde pleure. Moi aussi.

Mon grand-père est très costaud. Papa encore plus. J'ai de qui tenir, comme on dit chez nous. De nous voir pleurer tous les trois, c'est vraiment très drôle!

DE: Pinotte

À: Coccinelle surtout!!! (et aux deux gars)

J'ai rêvé à toi la nuit dernière, Coccinelle! Tu étais une grande actrice de théâtre et tu pleurais à chaudes larmes dans ta loge en mangeant des guimauves. Tu venais de te marier avec Ringo. Moi, je te consolais en me demandant: est-ce qu'elle pleure parce que la pièce était vraiment mauvaise ou parce qu'elle a épousé Ringo?

Analysez-moi ça.

Moi, j'ai mon interprétation.

À: Pinotte en priorité, mais avec des témoins

Un seul mot pour interpréter ton rêve : franchement !
Tu crois que Coccinelle pleurait parce qu'elle m'avait
épousé ? Ou est-ce de la projection ?

Moi, je crois, en fait, je suis persuadé, que si
notre amie pleurait, c'est que les guimauves
étaient meilleures avant… (inscris ici la date de
ton rêve). Ou alors, il y avait plus de spectateurs
dans sa loge qu'on en comptait dans la salle
(on sait que le théâââtre n'attire pas les foules,
même dans les rêves). Ou encore, elle avait
oublié son texte. Hum… Pas Coccinelle. Elle a
une mémoire d'éléphant.

Ou c'est son Francis de malheur qui est derrière
toutes ses larmes ? Ah, celui-là ! Je ne lui fais pas
confiance.

Au fait, Pinotte, il y avait un grand absent dans ce
rêve, non ?

C'est peut-être pour ça que Coccinelle versait des
larmes ?

DE : Coccinelle

À : Pinotte et aux gars

Quel rêve terrible! Je pleurais parce que les guimauves n'avaient pas été grillées sur un feu de camp, c'est clair! Ou alors, j'étais totalement dans les émotions de mon personnage, en tant que comédienne. Dans la pièce, mon personnage venait justement d'épouser Ringo (d'où les larmes). Mais il n'y avait sûrement pas de mariage dans la réalité. Ou alors, c'est de famille, et tu rêves comme ta tante Alice parle d'outre-tombe: en racontant n'importe quoi! ☺

Et toi, ton interprétation?

Dis donc, Spatule, quel personnage, cette Martha! J'aimerais beaucoup la rencontrer et l'entendre chanter!

Ma mère me dit toujours que dans nos rêves, tous les personnages nous représentent. Tu *penses* que tu as rêvé à Coccinelle, mais c'est toi, en réalité, qui as épousé Ringo!

Peut-être que tu pleurais à cause des guimauves, tout simplement. Ce n'est pas une bonne idée d'en mettre sur un gâteau de noces. *Guimauves grillées en été, pluie en novembre assurée*, comme dit Martha.

J'ai plein d'idées pour ton mariage, Pinotte. Le Vieux Hibou serait le célébrant, Coccinelle ta demoiselle d'honneur et la sœur de Ringo ta bouquetière. Je serais évidemment le garçon d'honneur de Ringo. Kiwi ne serait pas là: j'aurais oublié de l'inviter. Il y aurait une grande noce, et tu serais obligée d'embrasser Ringo chaque fois qu'on ferait tinter nos verres. Ding, ding! Smack, smack! Ding, ding! Smack, smack! (Ringo m'aurait payé pour que je fasse tinter mon verre toute la soirée.)

Veux-tu que j'envoie des invitations?

DE: Ringo

À: Spatule

Tu me fais sourire! Je serais curieux de voir
la réaction de notre Pinotte à la lecture de
ton message...

Vive les mariés! Ha! ha! ha! ha!

DE: Pinotte

À: Spatule

Pas drôle, ton histoire de mariage! Ou alors,
j'inverse quelques rôles? On oublie d'inviter
la sœur de Ringo, j'épouse Kiwi et tu es la
bouquetière!

Les personnages d'un rêve sont des parties de nous? Non. Trop compliqué. Moi, je dis que pour bien interpréter les rêves, il faut consulter un grand dictionnaire des symboles. Et savez-vous ce que signifie la guimauve?

Lis bien ceci, Coccinelle!

Rêver de guimauve est un signe de bons moments à venir et de bonheur. La guimauve indique toujours une période de tendresse…

Et qui mangeait la guimauve en pleurant? Qui était passé à côté du bonheur? Et qui, comme le note si bien Ringo, était absent? Un membre de la Bande des Quatre! Et voilà. Ma Coccinelle, si on se fie à tante Alice, au dictionnaire des symboles et à l'analyse objective que font tes amis, je pense que tu as tout en main pour prendre ta décision maintenant.

En tout cas, moi, je saurais quoi faire l'été prochain si j'étais toi.

Hé, Spatule? Parlant de Kiwi, je l'ai justement croisé au dépanneur, hier après-midi. Tu es télépathe, Spat! Ou TéléSpat? Ha! ha! ha! ha!

Bon! Bye! Je dois fermer l'ordi. Ménage de ma chambre obligatoire. Ah, la vie, des fois.

DE: Ringo

À: Sarah Bernhardt, l'absent des rêves et la petite-nièce d'Alice

Non, mais avouez que je viens de me surpasser, quand même! Qui dit mieux pour les destinataires?

Coccinelle, j'espère que ma vaste culture du monde du théââââtre te surprend un peu, à défaut de t'impressionner. La vérité – car je n'ai pas de secret pour toi, moi –, c'est que j'ai lu une bande dessinée de Lucky Luke, hier soir, intitulée... *Sarah Bernhardt*. On prend notre culture là où on peut!

Tu auras compris, ma chouette Coccinelle, qu'on ne veut pas te mettre de pression pour que tu prennes la bonne décision, soit celle de retourner au camp. Tes amis, tes vrais amis, tes seuls et meilleurs amis ne désirent pas t'influencer. Pourquoi on le ferait? Parce qu'on a un jugement plus éclairé que celui de môssieur Francis? C'est trop évident, tu le sais fort bien.

DE: Coccinelle

À: Pinotte

Tu as croisé Kiwi?

Raconte!!!!!

DE : Coccinelle

À : Pinotte, Ringo, TéléSpat

C'est bien beau, les rêves et la guimauve, mais c'est pas tout! La vraie vie continue.

On y est. Le 1er décembre. Le grand jour. Le jour J. De la semaine S. Du mois M. (Je peux continuer, mais j'imagine que vous avez saisi l'idée!)

Rencontre avec Francis ce midi, je dois lui donner ma réponse.

Je n'ai pas dormi de la nuit. Les pour et les contre tournent dans ma tête. Les seules cinq minutes où j'ai réussi à somnoler, j'ai rêvé que je sautais à la corde à danser. Je portais des espadrilles dont les talons étaient ornés de lumières rouges clignotantes et je mangeais des chips sel et vinaigre (oui, j'y arrivais sans même lâcher ma corde à danser).

Je me demande bien ce que tante Alice et ton dictionnaire des symboles auraient à dire là-dessus, Pinotte.

Bon. Quand faut y aller, faut y aller. Je vous raconte tout ce soir.

Bonne journée.

Ton rêve est facile à interpréter, Coccinelle : tu te réjouissais du mariage de Ringo et de Pinotte, et plus encore à l'idée de nous revoir l'été prochain ! (Le vinaigre symbolisait Kiwi !)

Sérieusement, j'ai fait un rêve, moi aussi. J'ai rêvé que tu choisissais le camp. C'est tout. Je te signale que je ne dormais pas.

Vite! Quelqu'un! Accrochez un chapelet à votre corde à linge! Ainsi, Coccinelle prendra la bonne décision. C'est toujours comme ça que le Vieux Hibou faisait avant une activité pour... pour...

Oh, je viens de m'en souvenir! C'était pour empêcher la pluie de tomber pendant une activité... Pas pour influencer quelqu'un.

De toute façon, je n'ai pas de chapelet... Pinotte, ta tante Alice devait sûrement en avoir un... Par contre, j'ai une poupée vaudou à l'effigie d'un professeur de théâââtre. Ça pourrait servir, non?

DE : Coccinelle

À : Pinotte, Ringo, Spatule

Zut de zut de zut!

Je rentre de l'école, et j'ai une mauvaise nouvelle.
Moi qui croyais tout régler ce midi, lors de mon
rendez-vous avec Francis... Vous ne devinerez
jamais ce qui m'est arrivé! Vers la fin de l'avant-
midi, l'alarme d'incendie se met à sonner dans
toute l'école. Personne ne réagit, on pense que
c'est un exercice d'incendie. Mais on se rend
compte assez vite que les profs, eux, n'ont pas
l'air rassurés du tout. L'école est évacuée, on se
retrouve tous dans la cour et deux camions de
pompiers arrivent presque aussitôt. Il fait froid,
il pleut à boire debout, on grelotte tous, j'ai les
cheveux qui doublent de volume à vue d'œil.
(Vous vous rappelez, après une baignade, de quoi
mes cheveux frisés ont l'air? Voilà.) Bref, c'est la
catastrophe! On est restés une heure dehors!
UNE HEURE! Quand on a fini par rentrer, on a
appris qu'un néon avait explosé dans un local,
provoquant la fumée qui a déclenché l'alarme.
L'heure du dîner était terminée. On a eu 10 minutes
pour manger et les cours ont repris.

Bref, je n'ai pas pu voir Francis, donc rien n'est
encore réglé. Je le rencontrerai demain midi.
Je vous en reparle.

DE: Spatule

À: L'indécise et aux deux impatients

Ce n'est pas moi qui ai déclenché l'alarme par télépathie! Je le jure sur la tête de mes amis!

Ne fais pas l'innocent, TéléSpatule! On sait que c'est toi! C'était réellement une bonne idée.

Moi, la seule qui m'était passée par la tête, c'était d'aller m'étendre sur l'asphalte devant l'entrée de môôôsieur Francis pour l'empêcher de sortir de sa maison. Mais j'ai eu peur: si jamais le chasse-neige était passé à ce moment-là, je me serais fait avaler par la machine, comme Charbonneau devant 10 Spatule. On m'aurait ramassé à la petite cuillère.

C'est quoi, la prochaine étape, pour le dossier Coccinelle? Je ne me possède plus d'attendre et d'attendre.

DE: Pinotte

À: Coccinelle

Oui, j'ai vu Kiwi! Mais avant de te raconter, tu
dois me promettre de tout garder secret. Je ne
veux surtout pas que les deux gars rigolent.
Tu les connais! Et tu connais leur affection
débordante pour Kiwi…

Alors, tu me fais une confidence et je t'en fais une
en retour.

Rien n'est encore réglé avec Francis, mais ta
décision est sûrement prise. Je suis prête à tout.
Tu reviens au camp ou pas?

DE: Coccinelle

À: Pinotte

Je garderai le secret. C'est promis, juré, craché.

Tu peux tout me raconter!

Dès que je l'aurai prise de façon définitive, je te dirai ma décision. Je n'arrête pas de changer d'idée! Dans mon cas, c'est dur, dur, les choix!

Bon. Je vais tout te raconter. Et peut-être même que ça va t'aider dans ta décision…

J'ai rencontré Kiwi, par hasard, au dépanneur. On a parlé un bon moment. Il n'a plus de copine. Il s'est acheté un chips au ketchup.

Mais ce n'est pas le plus important, le chips au ketchup.

Comment dire…

Je ne l'ai même pas trouvé beau! Tu as bien lu. Je ne sais pas comment t'expliquer. Celui qui était devant moi n'avait rien en commun avec le beau gars autour du feu de camp qui jouait de la guitare! Rien à voir avec celui qui nous faisait tant craquer, je te jure, Coccinelle. C'était comme une autre personne… c'est fou! Un autre style. Une autre manière de bouger, de parler.

En fait, j'ai compris une chose. Ce que l'on vit au camp, on ne le retrouve pas dans la vraie vie ensuite. Là-bas, tout est plus magique. Même les gens. Même le goût des biscuits aux brisures de moustiques. Même la lune. Tout est différent.

Ne raconte surtout pas ma rencontre aux deux gars de la Bd4. J'entends déjà leurs commentaires à propos de Kiwi...

On continue de parler de lui avec passion?

Bonne chance pour ta décision. xxx

Spatule, j'ai l'impression qu'il n'y a que toi qui sauras trouver les bons mots pour convaincre notre Coccinelle de revenir au camp. N'aurais-tu pas une tirade du genre Cyrano et son grand nez en réserve dans ton sac, pour elle ?

Moi, je crois avoir épuisé toutes mes bonnes idées…

Tire à pile ou face, Coccinelle: pile, c'est nous et face, c'est nous!

Tu peux aussi te tirer aux cartes: si tu piges une carte paire ou impaire ou une figure, c'est nous. Dans tous les autres cas, c'est l'autre, là, le vieux dont j'ai oublié le nom.

Et lire dans les tasses de thé, y as-tu pensé? Si le fond de la tasse te rappelle quoi que ce soit, y compris Kiwi, c'est le camp. Si la tasse se transforme en citrouille bleue phosphorescente et se met à courir partout, c'est le théâtre.

Sérieusement, Coccinelle, choisis ce que tu veux à condition que ce soit nous!

DE: Coccinelle

À: Trois insistants

Arrêtez, je ne m'entends plus penser!!!

Je rencontre Francis demain midi et je vous en reparle. Bon. N'essayez pas de m'influencer.

En attendant, c'est pas tout, la vie continue! On n'avait pas une rencontre à préparer, nous?

Je vous rejoins chez Pinotte le 22 décembre au matin. Yéééééééé! J'apporte quoi? Je dis à mes parents de revenir me chercher quand?

J'ai tellement hâte de vous voir!

DE: Ringo

À: Coccinelle, Spatule et Pinotte

Tu vas nous rejoindre chez Pinotte le 22 décembre pour réparer nos cœurs brisés, Coccinelle?

DE : Pinotte

À : Coccinelle

Il est minuit. Je ne peux pas dormir. Je rallume l'ordi juste pour te dire que, peu importe ce que tu décideras demain, on sera toujours la Bande des Quatre. Et nous deux, on sera toujours amies…

Ma mère arrive !

Je ferm…

DE: Coccinelle

À: Pinotte

Tu as teeeeeellement raison, merveilleuse Pinotte!
Ça me fait un bien fou de te lire ce matin. Quoi
qu'il arrive, on sera toujours la Bande des Quatre,
c'est sûr et certain. Et je n'aurai jamais de meilleure
amie que toi. Je pars pour l'école rassurée. Je
rencontre Francis ce midi et je te réécris ce soir.

DE : Ringo

À : Vous, amis de Coccinelle

Est-il trop tard pour faire circuler une pétition réclamant de Coccinelle qu'elle choisisse le camp d'été plutôt que le stage en théâââtre ? Si 100 % des membres de la Bande des Quatre la signent (excluant la principale intéressée, mais peut-être que Spatule pourrait la convaincre), ça l'incitera à prendre la bonne décision…

DE: Coccinelle

À: Mes trois meilleurs amis

Ça y est. C'est fait. Je suis tellement soulagée!
C'est l'une des plus grosses décisions que j'aie
eu à prendre de ma vie.

Je suis folle de joie!

J'ai vu Francis ce midi. Je lui ai dit à quel point j'étais
touchée qu'il m'ait proposé ce stage de théâtre,
dont tous les comédiens amateurs rêvent! Je lui ai
aussi confié que je savais bien à quel point cette
expérience m'ouvrirait des portes pour devenir
une comédienne professionnelle plus tard et pour
rencontrer des gens importants du milieu théâtral.

Pour toutes ces raisons, j'ai accepté le stage.

Je ne vous laisse pas vous inquiéter plus longtemps…
J'ai accepté le stage, oui, mais pour dans quelques
années seulement!

J'ai dit à Francis que j'étais flattée, mais que je
me voyais davantage faire ce genre de projet
au cégep. Je ne sais même pas encore si je veux
vraiment devenir comédienne dans la vie. J'ai plein
d'autres idées de métiers! Je pense que j'aurai
encore bien le temps de faire un tel stage.

J'ai réfléchi. J'aime le théâtre, c'est vrai. Mais pas
autant que le camp.

Le stage m'aurait beaucoup apporté, sûrement.
Mais pas autant que vous trois.

Donc, l'été prochain… je reviens!

Longue vie à la Bande des Quatre!

DE: Pinotte

À: Coccinelle

Ouf! Maintenant, je peux te le dire. Si tu ne revenais pas au camp, j'avais décidé de ne pas y retourner non plus. J'aurais été vendeuse de crème glacée. Gardienne de bébés. Je ne sais pas.

Mais ça, c'est aussi un secret entre nous. Bisous.

DE: Spatule

À: Coccinelle, Ringo et Pinotte

Tu m'as fait vraiment peur avec ton premier
courriel, Coccinelle! Heureusement que je ne suis
pas cardiaque! Ne me refais jamais plus ce coup-là!

Quand j'ai lu le deuxième, j'ai poussé un grand
yesss en pompant de l'air. S'il y avait eu un de
mes coéquipiers près de moi, je lui aurais fait
un *high five* et donné un coup de bedaine!

Tu ne regretteras pas ta décision, je te le promets!
Tu passeras un été de rêve avec plein de jeux, de
rires et de biscuits aux brisures de moustiques. Il
ne pleuvra jamais et s'il pleut, ce sera drôle. Tu ne
chavireras jamais en canot et quand ça arrivera,
je ne rirai pas de tes cheveux frisés pour les six
prochains mois. Il y aura un nouveau cuisinier
et la nourriture sera géniale. Tu pourras monter
des pièces de théâtre soir après soir, et j'accepte
à l'avance d'y jouer un rôle (j'applaudirai). Il n'y
aura pas de mouches noires ni de chauves-souris
vampires, et les mouffettes sentiront le lilas.
Tous les campeurs seront joyeux et obéissants.
Personne ne se blessera, les rhumes seront abolis
et les échardes s'enlèveront toutes seules. Ringo
chantera juste et toutes ses blagues seront hyper
drôles. Pinotte te laissera gagner au badminton.
À chaque feu de camp, nous aurons plein

d'inspiration pour inventer des histoires destinées aux jeunes campeurs. Elles seront juste assez effrayantes pour que leurs yeux soient ronds comme des soucoupes, mais pas assez pour faire naître des cauchemars. Le Vieux Hibou aura rajeuni et miss Mimosa aura appris à sourire. Kiwi et Brindille ne seront malheureusement pas là, mais ils nous enverront des photos que Pinotte se chargera d'archiver.

Bref, yé!

Au risque de me répéter: yé!

Je dirais même: *yessss*!

En plus, on se revoit le 21! (Un de mes cousins est prêt à me reconduire. En partant après l'école, vers midi, je pourrais facilement être dans Charlevoix vers 17 heures. Donne-moi l'adresse de ton école, que je puisse programmer le GPS de mon cousin!)

DE: Ringo

À: Coccinelle, Spatule et Pinotte

Yéé
ééé
ééé
ééé
ééééééé...

Ouf! Laisse-moi reprendre mon souffle... Où en étais-je, déjà? Ah oui!

Yéé
ééé
éééééééééééééééééééééééééééé!

(Vous serez ravis d'apprendre qu'il y a dans tous mes «Yé» 291 fois le é et deux fois le y.)

DE: Coccinelle

À: Spatule, Pinotte et Ringo

Spatule, quel merveilleux message! Tu m'as fait sourire, tu m'as fait pleurer, tu as fait que je m'ennuie encore plus de vous trois et du camp (comme si c'était possible!).

Je repense aux derniers jours et je me sens super coupable. J'étais tellement stressée par cette décision à prendre que je n'ai fait que regarder mon nombril, il me semble!

Comment allez-vous? Ringo, ton grand-père va mieux? Ta petite sœur et ton vieux toutou se portent bien? Pinotte, ta tante Alice ne te dérange pas trop? ☺ As-tu des tournois de badminton ces temps-ci? Spatule, comment est la vie sans football? Continues-tu à t'entraîner? Racontez-moi! Parlez-moi de vos Magalie, Charbonneau, Chloé, Solange ou Kora-Lee Wong Thibodeau! Je m'ennuie de vous.

DE : Ringo

À : Spatule et Pinotte

Au secours ! Je suis dans le trouble, dans le gros trouble, dans un camion de trouble !

Ça m'apprendra à lire trop vite et à réagir sur le coup. Aaaaaaaaargh ! Quand j'y pense...

Vous aurez noté que notre Coccinelle n'est pas dans les destinataires de ce message. Il faut que je vous explique. Quand elle a envoyé son premier message, celui où elle disait qu'elle avait accepté l'offre du camp de théâââtre de môôôsieur Francis, j'étais déjà à l'ordinateur. Et je l'ai lu tout de suite ! Mais vraiment tout de suite.

Et j'en ai eu le cœur en mille morceaux. Pas de Coccinelle à notre camp d'été, dans ma tête, c'en était fait de la Bande des Quatre. La notion même des meilleurs amis du monde, qui m'est si chère, était jetée aux ordures.

J'étais tellement triste et chaviré (et aussi un peu fâché et déçu de la décision de Coccinelle) que j'ai fermé l'ordinateur sur-le-champ. Et je suis sorti de la pièce. Mon père, qui était dans la cuisine, venait tout juste de raccrocher le téléphone. Il avait un grand sourire au visage, sourire qui a aussitôt disparu quand il a constaté la mine lamentable de son fils. Je n'ai pas eu le cœur de lui raconter pourquoi j'étais dans un tel état.

Aussitôt, j'ai choisi de me réfugier dans ma chambre. Mon père m'y a rejoint. Je suis demeuré là, étendu sur mon lit, les deux yeux dans le vide, incapable de dire un mot, avec mon père à mes côtés. Il m'a tout simplement mis la main sur l'épaule.

Ouaip! Une grande conversation entre gars…

Finalement, voyant qu'il ne tirerait rien de moi, il a pris la parole.

Mon père: Tu sais avec qui je jasais tout à l'heure?

Évidemment, non.

Mon père: Avec Jean-François Nolin, animateur à la radio. Il y a eu un tirage de billets de hockey ce matin et j'ai gagné.

J'ai réussi à articuler trois mots:

Moi: Pour les Tigres?

Les Tigres de Victoriaville, c'est l'équipe de hockey junior de ma ville. On va les voir jouer à l'occasion.

Mon père, les yeux brillants: Non! C'est pour un match des Canadiens au Centre Bell. On est dans une loge!

Je me suis aussitôt redressé sur mon lit. Les Canadiens au Centre Bell? Une première pour moi! J'étais très excité. J'avais déjà oublié les raisons de mon chagrin (presque, quand même).

Mon père: Je voulais te faire la surprise et te donner ton billet comme cadeau de Noël. Mais le 24 au soir (on ouvre toujours nos cadeaux le 24 au soir), il aurait été trop tard. Un match Maple Leafs-Canadiens, qui a lieu le 21. Nos places sont déjà réservées. Une belle sortie père et fils. Et on va coucher dans un hôtel à Montréal en plus!

Mon père était heureux et soulagé de me voir ainsi, de fort belle humeur.

Mon premier réflexe a été de m'élancer vers l'ordinateur – j'ai devancé ma sœur d'une demi-seconde; elle était en furie, mais tant pis! – pour vous annoncer la nouvelle: moi, au Centre Bell, pour un match des Canadiens, dans une loge, comme cadeau de Noël, avec mon père! (Bon, je sais, ça fait plein de virgules, c'est pour donner un style à ma phrase.)

En ouvrant l'ordinateur, j'ai vu la suite du message de Coccinelle, qui expliquait qu'elle avait finalement choisi d'aller à notre camp au lieu du stage de théââââtre...

Et je me suis rappelé que le 21 décembre, c'est aussi la présentation de *Cyrano* avec notre Coccinelle adorée...

AAAAAAAAAAAAAAAAAAARGH!

Qu'est-ce que je fais avec ça?

Au secours!

DE : Spatule

À : Ringo et Pinotte, mais pas à Coccinelle

D'abord, deux questions : les Canadiens
joueront-ils d'autres parties au Centre Bell dans
le prochain siècle ? Réponse : oui, des centaines
de fois. Coccinelle rejouera-t-elle dans *Cyrano*
devant ses trois meilleurs amis ? Peut-être pas.
C'est toute la beauté du théâtre, d'ailleurs :
chaque pièce est unique. (C'est moi qui dis
ça ? ? ?) Tu me répondras que c'est encore plus
vrai au hockey, mais ne viens pas tout mélanger.

Sachant cela, la solution coule de source : tu laisses
ta petite sœur aller au Centre Bell avec ton papa
et tout le monde sera épaté par ta générosité.
Tu viens au théâtre avec nous, mais tu enregistres
le match à la télé et tu le regardes aussi souvent
que tu le voudras par la suite, avec des reprises
au ralenti et des gros plans sur les joueurs qui
enlèvent leurs protège-dents pour cracher du
Gatorade sur la glace. Pourrais-tu en faire autant
avec *Cyrano* ? Non. (Heureusement ! C'est assez
long d'avance, s'il faut en plus se taper des
reprises au ralenti de comédiens qui crachent
du Gatorade…)

C'est pas un bon plan, ça ?

DE : Pinotte

À : Ringo (et à Spatule)

Euh… tu ne vas quand même pas nous faire le coup du « je sais pas trop quoi faire, je vous aime, mais j'aime aussi le hockey »?! Tu n'as pas à faire un choix déchirant comme celui de Coccinelle et son été, là! Tu viens voir la pièce avec nous. Point final. Heureusement que Coccinelle ne lit pas ça!

Hésiter entre retrouver tes amis et assister à une partie de hockey…

Tellement bébé, des fois, Ringo. Une chance qu'on t'aime pareil.

Ah, c'est trop facile, écrire ça. Spatule, ma sœur va déjà voir le ballet classique *Casse-Noisette* avec ma mère. C'est son cadeau de Noël à elle. Fiou! Heureusement, j'y ai échappé. Ma sœur, qui est incapable de demeurer en place deux minutes, risque de passer sa soirée à bouger, à chanter et à faire des «pout! pout! pout!» comme un moteur de bateau.

Pinotte, ce n'est pas seulement l'idée de voir jouer les Canadiens en vrai, c'est d'y aller avec mon père. C'est un cadeau de Noël pour lui aussi et pas seulement pour moi. D'où mon problème. Ce n'est pas troquer ses amis pour le hockey…

Je sais qu'il y a son frère qui est un *fan* fini de Montréal. Et des Beatles, mais ça, c'est une autre histoire. Il a reçu, au dernier Noël, des boxeurs des Canadiens; et il les a portés fièrement au cours de la soirée, après avoir un peu trop bu de la bière qui est commanditaire de son équipe favorite de hockey. Par la suite, pendant la nuit, il a joué le père Noël pour ma petite sœur. Mais elle l'a reconnu aussitôt, parce qu'il y avait, sur la poche du père Noël, un gros logo des Canadiens de Montréal. Chaque fois qu'il donnait un cadeau à ma sœur, il criait: «Go! Habs! Go!» Et quand

il est parti de la maison pour retourner faire
sa prétendue tournée du monde, il s'est mis à
chanter : « Nananana ! Hey, hey, hey ! Good bye ! »

Je vais essayer de convaincre mon père d'emmener
son frère à ma place, au match des Canadiens. Les
deux n'y sont jamais allés ensemble. Comme mon
père et moi, d'ailleurs…

Surtout, pas un mot à Coccinelle, d'accord ?

DE : Spatule

À : Ringo

Ton père va comprendre, j'en suis sûr. C'est décevant pour toi d'échanger une soirée au Centre Bell contre une pièce de théâtre, mais console-toi en pensant que tu aurais pu aller voir *Casse-Noisette*!

Le jour P pour *Pièce* approche à grands P pour *Pas*! Je pense que jamais de toute ma vie je n'ai eu aussi hâte de voir une pièce de théâtre! Le pire, c'est que c'est vrai! J'ai cent fois plus hâte à cette pièce-ci qu'à toutes les autres auxquelles j'ai assisté dans ma vie, et laissez-moi vous dire que j'en ai vu beaucoup! Les titres m'échappent pour l'instant, mais ça me reviendra sûrement.

Cela dit, il faudrait s'organiser un peu, non? Faut-il acheter des billets? Y aura-t-il des revendeurs à la porte? Peut-on apporter des trompettes et des crécelles? Du *pop-corn*? Des réglisses?

Sérieusement, où se rejoint-on? Comment ira-t-on chez Pinotte, après la pièce? Faut-il prévoir des sacs de couchage? Ringo peut-il apporter son toutou? Ta mère nous préparera-t-elle encore ses délicieux muffins, Pinotte?

DE : Coccinelle

À : Mes amateurs de théâtre

Essaie pas, Spatule, je suis sûre que la dernière
fois que tu es allé au théâtre, c'était pour voir un
spectacle de marionnettes et tu avais six ans ! Tu
détestes le théâtre, ai-je besoin de te le rappeler ?
Mais je suis contente que tu aies hâte de voir *Cyrano*.
Moi, en tout cas, je meurs d'impatience de vous voir !
Je pense que j'aurai encore plus le trac à cause de
notre rencontre que parce que je monte sur scène !

Pour répondre à tes questions…

Oui, il faut acheter des billets.

Oui, on peut se les procurer à la porte (pas de
revendeurs, mais bien de vendeurs officiels !).

Non, pas de trompette, ni de crécelle, ni de
pop-corn (avec un peu de chance, il y aura une
table où on vous vendra des chips et des jus
à l'entracte). Pas de *cheerleaders*, ni d'unités
spéciales, ni de sacs du quart non plus, au fait.

Pour le reste (où se rencontrer, sacs de couchage,
etc.), je vous laisse vous organiser. Après la pièce,
on doit démonter les décors et la troupe va
sûrement fêter un peu, alors comme je vous l'ai
dit, je vous rejoindrai plutôt le lendemain matin.

Ah oui, dernière chose…

Oui, je vote pour que Ringo apporte son vieux toutou Winnie, recousu de partout, qui a un œil manquant.

DE: Ringo

À: Vous zautres, les amateurs de théâââtre

Vous savez qu'il y avait déjà du théâââtre dans la préhistoire? Oui, m'sieur et m'dames! On a retrouvé, sur les murs de la grotte de Lascaux (c'est en France), des scènes montrant des gens en train de jouer une pièce de théâââtre. C'était dans un documentaire du *National Geographic*. Le titre de la pièce était même écrit, en grosses lettres rouges, dans le bas de la fresque: *Cyranosaure Rex*!

Et cette pièce de théâââtre pourrait se transformer en comédie musicale du temps des Fêtes! Mais oui! Puisque la pièce est présentée en décembre, Roxane pourrait chanter à son Cyrano:

«On l'appelait Nez-Rouge...
Ah! comme il était mignon!
Le Cyrano Nez-Rouge...
Rouge comme un lumignon...»

DE : Coccinelle

À : Ringo (et aux zautres)

Soupir, Ringo…

Ton sens de l'humour ne s'améliore pas…

Je sais que, selon la charte de Spatule, nous avions promis de ne plus trouver tes jeux de mots poches… Tu te rappelles peut-être que j'avais refusé de signer cette partie de la charte parce que j'avais peur de ne pas tenir cette promesse ? J'ai teeeellement bien fait !

Cyranosaure Rex, franchement !

Je t'aime pareil.

Et oui, je l'avoue, tu m'as quand même fait rire !

Je n'apporterai pas mon toutou Winnie chez
Pinotte. Je ne pourrai donc pas vous le prêter
pour vous consoler et vous rassurer. Il ne
supporterait pas le voyage dans ma valise.
Mon toutou est claustrophobe. Par contre,
je vais mettre mon pyjama Tigrou…
Hi! hi! hi! hi!

Une question comme ça, Pinotte : ça ne dérangera
pas tes parents que quatre ados, deux gars, deux
filles (faut-il le préciser?), dorment dans la même
chambre? Parce que je présume qu'on va tous
dormir ensemble, non? Comme au pré-camp
des moniteurs? Il est vrai qu'on était plus d'une
douzaine, dont Kiwi qui voulait être un peu trop
près de Pinotte, à mon avis. Oui, Pinotte, je t'avais
déjà remarquée…

Je suis convaincu que ma mère ferait les gros yeux
en apprenant la nouvelle et qu'elle déléguerait ma
petite sœur pour dormir avec nous. Ce serait le
chaperon idéal.

Pour le théââââtre, Coccinelle, accepterais-tu
de nous réserver les billets pour nous assurer de
bonnes places? S'il fallait qu'on se déplace et
qu'il n'y ait plus aucun siège libre?

Ah, j'oubliais: c'est du théââââtre! Forcément, ce ne sera pas salle comble! Je blague, évidemment…

Une dernière question pour toi, Coccinelle: quel rôle joues-tu dans la pièce?

DE: Pinotte

À: Vous trois

Ringo dans un pyjama Tigrou... Une image que
je ne peux plus chasser.

DE: Coccinelle

À: Ringo la machine à blagues… et à Pinotte et Spatule

J'allais vraiment vous réserver des places… jusqu'à ce que je lise la phrase sur le fait que ce ne sera pas salle comble. Ha, ha, ha. Ha, ha, ha, ha, ha. Qu'est-ce qu'on rigole…

En fait, je réserverai deux places : une pour Spatule, l'autre pour Pinotte. Ringo, tu t'arrangeras.

Et je ne peux pas croire que tu me demandes sérieusement quel rôle je joue dans la pièce… Je vous en parle depuis des mois ! Mais parce que je suis vraiment d'une gentillesse et d'une patience exemplaires, je veux bien répondre. Sois attentif, cette fois, Ringo : je joue la méchante belle-mère, qui se regarde toujours dans un miroir magique, qui offre une pomme à la princesse et qui l'oblige à servir ses deux exécrables filles (tu chercheras dans le dictionnaire la définition d'*exécrable*, Ringo, je ne suis pas d'humeur). Je joue donc cette belle-mère, qui offre un fuseau à sa fille pour qu'elle se pique le doigt et dorme 100 ans, juste avant de l'enfermer dans une tour où elle doit laisser tomber ses longs cheveux par la fenêtre. Ah oui, j'allais oublier ! Mon personnage de méchante belle-mère habite dans une maison faite en bonbons et se transforme parfois en loup pour effrayer une jeune fille qui porte un manteau rouge.

Voilà. C'est mon personnage. Maintenant, tu n'auras plus aucun mal à suivre la pièce.

Coccinelle, ma comédienne préférée amateur
et théââââtrale, tu me prends pour une nouille ?
Je sais que bien que ce n'est pas *Cyrano* que
tu me décris là (où sont passées les scènes de
nezdité… ?). C'est *Alice au pays des merveilles*.
Je connais mes classiques, moi, madame Chose !

Bon, ben… Je suis allé vérifier à mon tour dans nos échanges… Et je confirme que tu joues Roxane (avec un n, Roxane ?). Ça m'a peut-être échappé en cours de route. J'ai une mémoire de poisson rouge, semble-t-il.

Je voulais seulement te le rappeler au cas où tu l'aurais oublié…

DE: Ringo

À: Spatule et Pinotte

Vous l'aurez lu dans mon message précédent :
oui, je pourrai aller à la pièce de théâââtre et à
la rencontre de la Bande des Quatre chez Pinotte.
J'ai décidé de laisser mon billet pour le match
des Canadiens au Centre Bell à mon oncle, le fan
fini. Le frère de mon père était tellement content
quand je lui ai appris la nouvelle qu'il m'a serré
contre lui au risque de m'étouffer (mes pieds ne
touchaient plus à terre). J'étais en train de virer
bleu, blanc, rouge !

Il a promis de m'apporter plein de cadeaux avec le
logo des Canadiens. Je vais peut-être me retrouver
au camp, l'été prochain, avec mon pyjama de
P.K. Subban au lieu de mon pyjama Tigrou ?

Mon père était un peu déçu de ne pouvoir y aller
avec moi. Mais il comprenait la situation – il sait
à quel point la Bande des Quatre est importante
pour moi – et il était finalement très heureux de
pouvoir partager les coûts du voyage à Montréal
avec son frère.

Comme ils sont tous les deux des *fans* des Beatles,
vous pouvez deviner quels disques joueront dans
le lecteur à l'aller et au retour. *Yeah* ! *Yeah* ! *Yeah* !

Il faut que je vous raconte quelque chose.
Le dimanche matin, j'ai l'habitude de faire
du jogging avec mon père. On fait le tour
de la pointe aux Pins, une réserve naturelle
qui couvre toute une partie de l'île. C'est un
endroit magique. On y croise régulièrement
des chevreuils, plus rarement des orignaux et
des renards. Le sentier débouche sur une plage
où l'on voit des centaines, des milliers d'oies
blanches. À l'automne, elles font des provisions
avant de s'envoler vers la Floride.

Je faisais donc mon jogging et je pensais au
plaisir qu'on aurait à se retrouver tous les quatre
dans quelques jours. Je me disais que ce qui
serait vraiment bête, ce serait que je me brise
une cheville, ou quelque chose dans le genre,
et que je ne puisse pas y aller. Juste au moment
où je me disais cela, j'ai perdu pied. J'ai essayé
de recouvrer mon équilibre et tout ce que j'ai
réussi, c'est à courir de plus en plus vite et de
plus en plus penché par en avant, si vous voyez
ce que je veux dire. Si ce genre de situation vous
est déjà arrivé, vous savez que le temps semble
alors ralentir et se décomposer en centaines de
microsecondes. Je n'ai pas vu le film de ma vie
se dérouler devant moi, heureusement, mais

j'ai eu le temps de penser, entre autres : 1) qu'il
n'y a plus rien à faire et que je vais me péter la
gueule ; 2) que je ne pourrai pas voir *Cyrano* ; 3) que
c'est bête d'avoir passé toute une saison de football
sans me blesser et que ça m'arrive en joggant ;
4) que je ne dois pas me raidir sans quoi ce sera
pire ; 5) que je ne pourrai pas aller chez Pinotte ;
6) ouch ! j'ai mal au genou, pourvu qu'il tienne
le coup ; 7) pourquoi est-ce que je n'ai pas mon
casque et mes épaulettes ? ; 8) ferme les yeux et
laisse-toi tomber, Spatule, il n'y a plus rien à faire.

Mon père m'a aidé à me relever, je me suis tâté
le genou, j'ai fait quelques pas, ouf, rien de cassé.
J'ai marché un peu pour me remettre de mes
émotions, puis j'ai repris mon jogging.

En rentrant à la maison, je me suis aperçu
que j'avais quelques bleus sur les bras et des
égratignures dans le visage, mais rien de grave.
Je m'en suis bien tiré.

J'ai ensuite pensé à ce qui avait occupé mes
pensées en tombant, et je me suis mis à avoir
peur : est-ce que je n'aurais pas trop hâte de
vous voir ? Est-ce que je risque d'être déçu ?

Je me suis dit que oui. C'est pourquoi je vous
annonce que je n'irai peut-être pas à notre rendez-
vous, à bien y penser. Je vais plutôt rester chez moi
pour regarder la télévision, faire du ménage dans
la remise et lire des magazines de mode.

P.-S. – Au cas où je me déciderais quand même à y aller, est-ce qu'il faut apporter quelque chose? Un matelas de camping, un oreiller, un sac de couchage, deux douzaines de muffins aux brisures de moustiques?

P.-P.-S. – N'oublie pas tes pantoufles avec des oreilles de lapin, Ringo!

Pauvre tit Spat…

Pour répondre à ta question : rien, rien à apporter, sauf…

un sac de couchage, un matelas en mousse, une brosse à dents, des vêtements chauds, du chasse-moustiques, des bas de laine, de la crème solaire, une collation, un maillot de bain, une lampe de poche, une trousse de premiers soins.

(Source : aide-mémoire pour expédition de deux jours.)

Vous vous souvenez ? J'avais perdu ma liste, j'avais oublié mon chasse-moustiques et j'avais égaré ma lampe de poche lors de la première expédition.

Hâte de vous voir.

Mais ça… vous le savez déjà !

DE : Coccinelle

À : Spatule, Pinotte, Ringo

Oh non, pauvre Spatule ! Tu l'as échappé belle ! Je
suis vraiment contente que tu ne te sois pas blessé
gravement. J'ai tellement hâte de vous voir, tous
les trois ! Plus de jogging jusqu'au 21, d'accord ?

Avez-vous déjà de la neige à l'île ? La pointe aux
Pins dont tu parles semble merveilleuse ! J'aimerais
bien croiser des chevreuils en joggant ! J'espère
que j'aurai un jour la chance de voir cet endroit !

DE : Ringo

À : Pinotte

Non, mais tu vois, Pinotte, à quel point Coccinelle s'est inquiétée pour son pauvre Spatule, qui a subi deux ou trois éraflures en joggant (il encaisse quantité de coups mille fois pires que ça dans un match de football)! Ça va au-delà de la simple empathie envers l'autre, tu ne crois pas?

DE: Pinotte

À: Ringo

Je le savais depuis le début, moi.

Pinotte, encore et toujours la grande spécialiste des amours de ses amis...

DE : Tamia sincère

À : Trois formidables amis de ma Pinotte

CC : Pinotte

Je vous accueillerai avec grand plaisir le
21 décembre. Voici l'horaire de votre séjour
parmi nous et quelques précisions. Merci de
faire lire ce message à vos parents.

Notez que j'assisterai à la pièce de théâtre de
Coccinelle et que je vous conduirai à la maison
ensuite.

21 décembre.

Autour de 23 heures, retour de Charlevoix avec
les trois invités.

Discussion sur la pièce de théâtre et chocolat
chaud. Installation dans les chambres. Spatule et
Ringo, vous occuperez celle de mon fils, au bout
du corridor. Un grand lit et un petit matelas au
sol. Pile ou face pour celui qui aura le lit. Mon
fils sera chez son cousin. Il aura fait son ménage
avant de partir.

Les filles, vous pourriez dormir au sous-sol, sur le
futon, le joyeux crépitement du feu de foyer vous
rappellera le camp…

22 décembre.

9 heures. Lever. Déjeuner. Muffins, œufs, crêpes aux pommes, scones aux canneberges.

11 heures. Départ pour le ski de fond.

16 heures. Retour et préparatifs du souper en équipe de deux. Chacun aura une petite responsabilité. Formation des équipes par tirage au sort.

18 heures. Souper du temps des Fêtes. Tourtière, ketchup maison, gâteau roulé à la gelée de fraise. La grand-mère de votre Pinotte sera présente, elle a bien hâte de vous connaître.

21 heures. Corvée de vaisselle.

22 heures. Jeu de nuit. Vous aurez à répondre à quelques questions lors d'une grande marche dans le quartier. Le gagnant aura droit à un petit souvenir. (Fait à la main par la grand-mère de Pinotte.)

23 heures. Retour à la maison et surprises de Noël pour tous.

Minuit. Dodo tout le monde!

23 décembre.

9 heures. Départ.

L'idée de recréer l'esprit d'un camp de vacances est de moi. Hi ! hi ! hi ! Soyez tous rassurés, cela me fait énormément plaisir. Le père de Pinotte a été, tout comme moi, animateur de camp, alors… plaisir garanti. Je n'en dis pas plus.

Je retourne à ma tourtière.

Tamia sincère

(C'était mon totem de camp.)

Je suis d'accord pour la tourtière, les muffins,
les scones, le ketchup maison, le gâteau roulé et
les crêpes aux pommes! Quel beau programme,
madame Tamia! Mais avez-vous également pensé
à Ringo, à Pinotte et à Coccinelle? Il faudra leur
laisser quelque chose à grignoter! Je propose
du céleri, du brocoli et des radis frisés.

Il faudrait aussi prévoir un tapis de sol miniature,
pour Winnie l'ourson!

DE: Ringo

À: Tamia sincère

Chère madame Tamia,

Merci beaucoup pour l'invitation! On ne risque pas de s'ennuyer une seconde avec ce programme (surtout, ne demandez pas à Spatule de chanter ou de réciter l'alphabet avec son nombril, s'il vous plaît)! Et que dire de ce menu qui nous met l'eau à la bouche?

Si vous avez besoin d'un coup de main pour les préparatifs de la fête, n'hésitez pas à faire appel à Pinotte...

Ah! vous savez que j'adore... hum... que nous adorons tous ma... notre chère Pinotte.

J'ai vraiment très hâte de vous rencontrer, future belle-maman.

DE: Coccinelle

À: Tamia sincère (et à Pinotte, Ringo, Spatule)

Chère madame Tamia,

Je ne pourrai malheureusement pas repartir avec vous après la pièce. Je dois aider à démonter les décors. Je propose donc une modification à votre ordre du jour : ma mère viendra me reconduire le 22, à 9 heures, juste à temps pour le déjeuner léger ! ☺

Merci pour cette charmante invitation. Mes parents étaient très contents de lire votre message.

DE: Coccinelle

À: Pinotte, Spatule et Ringo

Euh… Pinotte? C'est moi ou ta mère est un peu intense?

Elle est très gentille, remarque, mais avec tout ça, penses-tu qu'on va avoir le temps de se parler, tous les quatre? Il faudrait peut-être prévoir une heure de discussion à l'horaire!

J'ai trooooooop hâte d'être avec vous trois! (Et avec ta grand-mère, Pinotte!)

DE : Spatule

À : Ringo et Coccinelle, mais surtout à Pinotte

J'appuie Coccinelle : je me priverais volontiers de crêpes pour passer quelques heures de plus avec vous trois. Je me passerais aussi du jeu de nuit, tant qu'à faire. Dis à ta mère que Ringo a trop peur dans le noir !

DE: Ringo

À: Pinotte et compagnie

Pinotte, quand j'ai lu le message de ta maman, Tamia sincère, je pense que je n'ai pas respiré entre le premier mot et le dernier. Intense, tu dis, Coccinelle? Wow!

J'étais à bout de souffle simplement à lire le programme. On se croirait non pas dans un camp de vacances, mais dans l'armée! Oui, mon capitaine Tamia!

Spatule, si je peux te servir d'excuse pour ne pas faire le jeu de nuit, sois bien à l'aise. On sait tous que c'est ton talon d'Achille, ta phobie, ton point faible, ton (sortez ici les synonymes que vous voulez). Je serai solidaire avec toi pour ne pas y participer.

Pinotte, si je comprends bien, on peut tous dormir sous le même toit, mais pas dans la même chambre. N'y aurait-il pas moyen de négocier un compromis avec Tamia sincère pour qu'on se retrouve tous les quatre ensemble même si Spatule ronfle comme une tondeuse? Ou on fait comme au camp, alors qu'on s'organisait pour se voir en cachette malgré les recommandations du Vieux Hibou!

Se coucher à minuit, un 23 décembre? Eh! je n'ai plus 10 ans, moi! On se tape une nuit blanche! C'est l'hiver, après tout!

On devrait en profiter, lorsqu'on sera réunis, pour faire parvenir une carte de vœux du temps des Fêtes au Vieux Hibou. Voici ma suggestion: «Cher Vieux Hibou, la Bande des Quatre vous *chouette* un beau Noël!»

Pas mal, hein?

DE: Spatule

À: Trois poètes pouet pouet

Bonne idée, Ringo!

On pourrait aussi souhaiter des selfies
Au beau Kiwi,
Un voyage au Liechtenstein
Avec Frankenstein
À notre ami Einstein
Et je n'ose pas dire ce que le mime osa
Pour miss Mimosa!

DE : Pinotte découragée

À : Mes amis à MOI!!!

Oubliez le message de ma mère, s'il vous plaît! Supprimez-le. J'aurais dû me méfier quand elle m'a demandé vos adresses. Elle disait qu'elle voulait simplement apporter quelques précisions pour rassurer vos parents.

Rassurer les parents ou faire paniquer mes invités? Merci, Tamia.

Pas question de suivre son horaire d'hyperactifs, évidemment!

Tamia sincère souhaitait même faire cuire de la banique dans la cour arrière. Heureusement, Saule compréhensif, son mari, a troqué le feu dans la neige contre la tourtière de caribou.

Quand je vous disais, l'été dernier, que ma famille, c'est n'importe quoi.

Je sais, Ringo, qu'on n'a plus 10 ans… je me tue à le rappeler à mes parents.

Bye et désolée pour l'histoire du tamia.

À Ringo : ronfler comme une tondeuse, moi ?
Tu ne précises même pas si elle est dotée d'un
moteur à deux ou à quatre temps ! (Désolé, les
filles, c'est une conversation masculine.)

À Pinotte : d'accord, le message de Tamia est rayé
(c'est un jeu de mots juste pour toi, Ringo !), mais
peut-on conserver le menu ?

J'ai quand même fait une copie de son courriel
pour le faire lire à mes parents, au cas où, mais
ils ne m'ont pas posé de questions. Ce qui les
inquiète bien davantage, c'est cette neige qu'on
nous annonce pour le 21. Ils craignent que mon
cousin Marco soit trop téméraire avec son super
4 x 4 modifié avec des pneus surdimensionnés
(désolé, les filles !). Il est tellement énorme que
ça donne le vertige de monter là-dedans. Marco
est fou de son engin. Il est même membre d'un
club de 4 x 4 extrême. Plus il neige, plus il aime
ça ! Ce qui l'excite encore plus, c'est la boue,
évidemment. La semaine dernière, il m'a invité à
assister à un derby de démolition de corbillards !
Ça vous intéresse ? Moi, pas du tout. (Pour être
parfaitement honnête, je ne détesterais pas
voir ça !)

Chose certaine, il ne me laissera pas tomber!

À Coccinelle : je n'ai pas voulu me mêler de votre discussion, mais je le savais, moi, que tu jouais Roxanne! Notre ami Ringo a vraiment une culture théâtrale déplorable. Je suis triste pour lui.

Quand j'ai raconté ma chute, l'autre jour, tu m'as répondu que tu aimerais croiser des chevreuils en joggant. Ça ne m'a pas frappé sur le coup, mais j'y ai repensé par la suite : est-ce que ça veut dire que tu t'entraînes? Peut-être qu'on pourrait se planifier un marathon pour l'été prochain! Et même un petit 10 kilomètres chez Pinotte, la semaine prochaine!

Salut! J'ai apprécié cette discussion virile, entre gars. Mais j'avoue que je n'ai aucune idée de ce qu'est un moteur à deux, à quatre ou à mille temps! Tout ce que je sais, c'est que si ça fonctionne à l'essence, ça pollue.

Mais je vais faire comme si tu parlais à un connaisseur.

DE : Ringo

À : Mesdames et Spatule

Le moteur à quatre temps d'une tondeuse
est plus bruyant, donc à la hauteur de ton
ronflement, Spatule (désolé, les filles, on parle
entre gars). Et pour le quatre roues motrices,
ton super cousin Marco acceptera-t-il un jour
de te le laisser conduire ?

Mes parents surveillent, eux aussi, cette tempête
qu'on annonce d'ici peu. De chez nous à
l'endroit où est présenté *Cyrano*, à vue de nez,
c'est environ trois heures de voiture, quand il
fait beau. *Nez-anmoins*, s'il y a tempête, je ne
sais pas comment on va s'organiser. Mon père
n'est pas chaud à l'idée de prendre la route.
On a déjà eu un accident l'hiver, sans blessé
heureusement, mais il est devenu un peu frileux
d'être derrière le volant dans les conditions
hivernales. Pas ma mère, par contre.

Mon père insistera pour que ma mère aille le
reconduire au Centre Bell à Montréal pour le match
des Canadiens. Mais il y a moi aussi avec *Cyrano*.
Quel dilemme pour ma mère ! Le père ou le fils ?

Et pour ton information, Spatule, *Roxane*
ne prend qu'un n... Voilà pour ma culture
théâââtrale déploraaable !

270

Bon, c'est bien intéressant, les moteurs et tout
ça, les gars (sentez-vous l'ironie?), mais moi,
ce que je me demande surtout, c'est comment
vas-tu faire, Pinotte, pour ne pas tenir compte
de l'horaire établi? Ta mère ne risque pas d'être
fâchée? Pendant que tu y es, tant qu'à l'affronter,
peux-tu lui proposer qu'on dorme tous les quatre
au salon, pour qu'on puisse jaser un peu?

Bon courage, ma Pinotte. On est avec toi.

P.-S. – Il reste encore sept jours avant la pièce… Je
ne m'en ferais pas trop avec les prévisions météo.
Tout ça a largement le temps de changer. Et puis,
40 centimètres… pffft! Ça n'arrive jamais!

P.-P.-S. – Euh… Spatule, un «petit» 10 kilomètres?
J'ai l'air d'une marathonienne? Quand je cours,
le plus souvent, c'est pour attraper le bus pour
me rendre à l'école… Merci pour l'offre, que je
décline poliment.

DE: Spatule

À: Ringo

J'espère pour toi que les filles ne sont pas trop expertes en moteur, Ringo. Un deux-temps est beaucoup plus bruyant! (Et plus polluant.)

Ça reste entre nous, promis. Je ne te ferai pas honte.

Puisque nous parlons entre gars, as-tu enfin commencé à te raser? Deux lames ou quatre lames? Tires-tu sur tes quelques poils pour les faire pousser plus vite? (Ça ne marche pas, crois-moi. J'ai essayé.)

Et tes patins? Une ou deux lames?

Et ton vélo? As-tu enfin enlevé tes petites roues?

DE: Ringo

À: Spatule

Merci de me donner l'heure juste pour les conséquences d'utiliser une tondeuse à deux ou à quatre temps. Je vais avoir oublié l'information dès que je t'aurai répondu, mais c'est l'intention qui compte.

Moi, me raser? Tu rigoles, l'ami? Je commence à peine à suer! Et puis, c'est génétique, cette histoire de poils. Je ne suis pas près d'utiliser un rasoir à deux ou à quatre lames (si c'est électrique, est-ce que deux lames, c'est moins bruyant que quatre?). Mon père a commencé à se raser à 18 ans. Et il se rasait une fois par semaine. C'était davantage pour la forme qu'autre chose. Il voulait faire bonne figure devant les filles...

Et toi, tu te rases? Vas-tu apporter ton rasoir chez Pinotte?

Il m'est arrivé quelquefois d'avoir le menton et les joues foncés en rentrant d'un entraînement de football, mais c'est parti au lavage. Je suis comme toi, Ringo ! Rien du tout ! Peut-être que j'ai du sang amérindien.

P.-S. – Sérieusement, Ringo : j'aimerais beaucoup avoir quelques instants seul à seule avec Coccinelle pendant notre séjour chez Pinotte. J'aurai peut-être besoin de ton aide pour y arriver. Est-ce que je peux compter sur toi ?

C'est vrai, les Amérindiens étaient glabres (quel beau mot! Coccinelle serait fière de moi! Mais je n'ai aucun mérite, sauf celui de savoir naviguer sur Google). La mère de mon arrière-grand-mère était d'ascendance amérindienne. Ce qui pourrait expliquer mon absence de pilosité.

Ah, tu peux compter sur moi pour tes moments précieux avec la non moins précieuse Coccinelle. En clair, ça signifie que je pourrai, moi aussi, passer du temps seul à seule avec Pinotte! Oh *yes*, mon ami! En espérant, évidemment, que je puisse éloigner d'elle Tamia sincère.

Pinotte

Vous trois

Ça ne va pas du tout.

Tu avais raison, Coccinelle... L'horaire de ma mère est coulé dans le béton. Elle n'en démord pas. À quatre, on réussira peut-être à déjouer ses plans, mais moi, j'ai tout essayé. Elle a tout de même accepté qu'on passe la nuit à parler, elle a même promis qu'elle ne descendrait pas en pyjama pour jaser avec nous. (Ce dernier point n'a pas été facile à négocier.)

Alors, on discutera toute la nuit de moteur à deux, à trois ou à quatre temps. J'ai hâte...

J'espère que la grosse tempête commencera dans la nuit du 22 au 23 et qu'elle vous forcera à rester un jour de plus chez moi. Hiiii! Ce serait trop *cool*! Mais n'en parlons pas au tamia qui nous planifierait un *programme spécial tempête*.

Coccinelle, tu dois être tellement morte de trac.

Moi, si j'avais à monter sur scène, c'est sûr que je m'évanouirais. Non, je mourrais. En fait, je ferais les deux.

Pinotte, pourvu que ça ne soit pas ta tante Alice qui descende se bercer en pyjama... Brrrrrr...

En passant, ta mère, Tamia sincère, je la surnommerais Belette intense!

Vous savez – non, vous ne pouvez pas savoir – que j'ai une certaine expérience dans le domaine du théââââtre? Oui, m'sieur et m'dames! J'ai joué un réverbère dans la pièce *Le petit prince*, quand j'étais en cinquième année. Paraît que j'ai offert une performance lumineuse! Parole de parents!

Alors, si tu veux des trucs, Coccinelle, tu sais qui ne pas aller voir...

DE: Coccinelle

À: Devinez qui !

Plus que six jours…

Si j'ai le trac, Pinotte? Hum, attends que j'y réfléchisse…

AaaaaaaaaAAAAAAAaaaaaaahhhhhhhhhhHHHH !

(Désolée, il fallait que ça sorte !)

J'ai hâte de jouer la pièce, bien sûr, on a tellement travaillé. Mais en même temps, rendue là, je me demande toujours pourquoi je me suis embarquée là-dedans! Ça me fait la même chose avant un spectacle de danse: je suis convaincue qu'une fois sur scène j'oublierai tout, ou je vais me prendre le pied dans mon lacet et tomber comme une patate, ou je vais rester figée, sans bouger, les yeux affolés, comme un chevreuil devant les phares d'une voiture…

Bon, je vous rassure, ça ne m'est jamais arrivé. Je parviens toujours à faire le spectacle, mais disons que les nuits avant, je dors moins bien.

Si jamais je fais le chevreuil ou la patate, m'aimerez-vous encore un ti peu? Je ferai toujours partie de la Bande des Quatre quand même?

Coccinelle: si jamais tu fais le chevreuil, ne sors pas sur la route! Je ne réponds pas de mon cousin Marco!

Ringo: mon arrière-grand-mère Martha adorait *Le petit prince*. Quand j'étais petit, elle me disait toujours: «*On ne voit bien qu'avec le cœur, mais il ne faut pas oublier de changer les piles!*» ou alors «*Ne vous demandez pas ce que vous pouvez faire pour votre rose, mais ce que votre rose peut faire pour vous*». Je crois qu'elle était déjà un peu mêlée.

Pinotte: Tamia ne peut-elle pas aller faire du bénévolat quelque part, du 21 au 24?

Sérieusement, les prévisions météo sont de moins en moins inquiétantes: on annonce de la neige, mais pas de vent. Juste ce qu'il faut pour un Noël blanc. On aura l'impression d'être dans une de ces bulles de plastique qui se remplissent de neige quand on les agite.

Tes parents sont-ils rassurés, Ringo?

DE: Ringo

À: Spatule, Coccinelle et Pinotte

Spatule, j'ai montré les prévisions de la météo à mes parents. Mon père n'est qu'à demi rassuré. « L'hiver est sournois, surtout sur la route », se plaît à répéter mon père, qui a vu neiger, comme disent les vieux de 30 ans.

La décision d'y aller ou pas sera prise le matin même du 21 pour la pièce de théââââtre.

Coccinelle, je suis convaincu que tu vas brûler les planches (entre initiés du théââââtre, tu vas certainement comprendre l'allusion).

Pinotte, est-ce que ton papa va être là ? Ne pourrait-il pas s'occuper de Tamia sincère (Belette intense) pendant que nous sommes ensemble tous les deux… euh… je veux dire tous les quatre ?

DE :

À : Mes trois meilleurs amis

Neige ou pas neige, Tamia rayé ou pas rayé, moi, j'y vais! Départ demain après-midi, tout de suite après mon dernier examen, dans le super 4 x 4 de Marco!

(Au fait, pas nécessaire d'acheter de billet pour mon cousin, Coccinelle : je lui ai proposé de venir voir la pièce avec nous, mais il a été pris d'une subite quinte de toux et il m'a dit qu'il avait des courses à faire à Québec. Il ne se rappelait plus exactement ce dont il avait besoin, mais ça avait l'air très important. Espérons que sa toux ne nous annonce pas une mauvaise grippe.)

À demain, Bande des Quatre !

DE: Pinotte

À: Vous

Beau cadeau de Noël! La prof de math nous a collé un test DEMAIN après-midi! Évaluation qui compte pour 50 % de l'étape! Une vraie Grinch!

Il vente tellement fort ici, ce soir, que le gros père Noël gonflable de notre voisin vient de s'envoler. Ha! Bon débarras.

J'adore l'hiver.

À demain, ma Bd4.

DE : Pinotte

À : Coccinelle

Merde pour demain. Tu vas être géniale, je le sais.
Je suis aussi énervée que toi, je pense.

DE : Coccinelle

À : Mes trois spectateurs

AAAAAAAhhhhhhhhhh! On y est!

J'ai mal au ventre. Et à la tête. Peut-être même un peu au cœur.

Ça ne va pas du tout.

Ma mère pense que c'est juste parce que je suis nerveuse.

Oubliez ça pour ce soir. Oubliez-moi. Je ne pourrai jamais jouer.

DE: Coccinelle

À: Mes trois spectateurs préférés

OK. Laissez tomber mon message précédent. Je viens d'arriver à l'école. Toute la troupe est dans le même état que moi. C'est le trac, en effet. Francis a pris ça en main. Ça va mieux. On fait des exercices de relaxation, de visualisation, de respiration.

Je ne sais toujours pas si je serai capable de jouer, mais je serai plus détendue, au moins.

J'ai trop hâte de vous voir!

Bonne journée, bonne route, à ce soir!

DE: Pinotte

À: Ringo et Spatule

On fait comment, pour ce soir? On s'attend à la porte, OK? Je veux être assise avec vous! Spatule, est-ce que ton cousin Marco est *cute*? Si oui, dis-lui de rester!

Ha! ha! ha!

Ha! ha! ha!

Est-ce qu'il est *cute*?

DE: Spatule

À: Pinotte

Il est beaucoup moins *cute* que Ringo (et moins drôle!).

Ça y est, nous sommes partis! On reste en contact, d'accord? Marco est venu me chercher à l'école, juste après mon dernier examen. Il n'a peur de rien, surtout pas de quelques flocons de neige! Il a quand même voulu partir plus tôt que prévu, au cas où ça se gâterait.

Où en es-tu avec tes parents, Ringo?

DE : Ringo

À : Vous, les aventuriers de la route

Bon, il neige à plein ciel ici, à Victoriaville. Ce
n'est pas très joli, mais au moins il ne vente pas
encore en ville. Mon père, qui déteste prendre la
route dès qu'un flocon se pointe le bout du nez,
est nerveux comme Coccinelle, mais pas pour les
mêmes raisons. Il doit partir bientôt pour Montréal
pour assister au match de hockey avec son frère
(vous vous souvenez? Mon cadeau de Noël…).
Il passe son temps à regarder MétéoMédia et à
changer d'idée.

Ma mère – c'est elle qui va me reconduire – est
beaucoup plus calme. Elle est habituée de conduire.
C'est elle qui s'est rendue à la Place des Arts avec
ma petite sœur pour *Casse-Noisette*, il y a deux
jours. Sans aucun problème.

Ah! c'est drôle, ça! J'entends mon père la supplier
d'aller les mener, son frère et lui, au Centre Bell!
Il jure qu'ils ne chanteront pas de chansons
des Beatles.

Nous quitterons d'ici peu la maison. Je vous en
redonne des nouvelles.

Comment allez-vous? As-tu pris la route, Ringo?
Avez-vous hâte à ce soir?

C'est le dernier message de ma part avant qu'on se
voie. Je ne vous écrirai sûrement plus aujourd'hui,
je n'aurai pas le temps. Mais je pense à vous. Un
peu. Beaucoup. À la folie.

Ici, ça ne va pas fort... La maman bénévole qui
nous maquille est assez nerveuse. En faisant les
tests pour le maquillage, elle m'a mis du mascara.
Elle tremblait un peu, sa main a dévié et... paf! un
coup de brosse à mascara dans l'œil! Comme vous
le savez, je porte des verres de contact souples.
Au contact de la brosse, mon verre gauche s'est
déchiré. J'ai l'œil tout rouge. Impossible de mettre
un nouveau verre là-dessus!

Deux choix: 1) ou bien je demande à ma mère de
m'apporter mes lunettes, 2) ou bien je joue sans
rien du tout et je vois tout le monde embrouillé sur
la scène. Qu'est-ce qui est le mieux, selon vous?
Une Roxane myope qui plisse les yeux ou une
Roxane à lunettes?

J'ai envie de pleurer, mais je ne peux pas, mon
maquillage va couler.

Je vous laisse, je m'en vais à l'essai coiffure (oui, les gars, il faut faire une « pratique » pour la coiffure). Tu vas voir, Pinotte, c'est très joli : mes cheveux seront complètement défrisés (vous comprenez pourquoi il faut commencer tôt, avec la tête que j'ai !) avec seulement quelques gros boudins. Ça me change complètement ! (Désolée pour cette minute fifille, les gars, c'était pour me venger de vos discussions de moteur !)

DE: Coccinelle

À: Vous trois, qui d'autre?

C'est l'enfer! Je sais, je ne devais plus vous écrire,
mais je vis une journée épouvantable! L'heure du
spectacle approche et ça va de pire en pire... Tout
le monde est en état de panique. Je le suis aussi.
Pourquoi je me suis embarquée là-dedans, déjà?

À ce soir.

Catastrophe! J'avais dit que je ne vous écrirais plus, mais je ne peux pas m'en empêcher...

Vous ne croirez pas ce qui m'arrive! Je suis en plein cauchemar! La fille qui nous coiffe (une élève de cinquième secondaire) envoyait des textos en me plaquant les cheveux... Elle s'est lancée dans une grande dispute par textos avec son *chum*. Elle m'avait oubliée là. Je n'osais pas rien dire, je la connais à peine. MAIS... elle a laissé le fer à plaquer chauffer un peu trop et elle a brûlé mes cheveux. Une mèche lui est restée dans la main!

J'ai bien d'autres cheveux, vous allez me dire, ce n'est pas si grave, une mèche en moins... Mais il me semble que c'est mauvais signe, non? Rien ne se passe comme prévu.

Bon, je retourne me faire calciner la tête. À ce soir.

C'est la pire journée de ma vie. Rien ne marche. Arrivez vite.

P.-S. – Est-ce qu'il neige, finalement? Je n'ai pas mis le nez dehors depuis mon arrivée à l'école, ce matin. Soyez prudents!

Je ne comprends pas ce qui nous arrive. Je suis parti de Montmagny tout de suite après mon examen, comme prévu. Il neigeait abondamment, mais ça roulait quand même bien. À Lévis, le vent s'est levé et on n'y voyait plus grand-chose. Marco était bien concentré sur sa conduite pendant que j'essayais de vous joindre avec son téléphone cellulaire.
Je vous ai envoyé des messages à tous les trois, sans succès. J'ai ensuite essayé de communiquer avec vous un à un. D'abord Ringo, qui part de loin. Où es-tu, Ringo? Es-tu finalement parti? Pas de réponse. J'ai ensuite appelé Pinotte: à quelle heure était ton examen de math, déjà? C'était ce matin, non? Toujours pas de réponse. J'essaie enfin Coccinelle, qui ne répond pas elle non plus, mais c'est normal: elle doit préparer sa pièce.

À l'approche du pont de Québec, le vent a redoublé d'intensité. Marco était toujours aussi fier des performances de son 4 x 4 et j'étais toujours branché sur le cellulaire. Rien. *Nada.* Que dalle. Où êtes-vous? Que faites-vous?

DE: Ringo

À: Vous trois

15 h – C'est la maman de Ringo qui vous écrit.
J'ai laissé le volant à mon fils. Il voulait conduire
dans la tempête et...

Mais non! C'est Ringo. Je peux vous donner des
nouvelles. Je serai bref, car je dois garder mon
attention sur la route...

DE : Ringo

À : Vous trois

16 h – Une vingtaine de voitures enlisées le long de l'autoroute 20.

Commentaire de ma mère : « Pffft ! Des amateurs ! »

Bourrasques de neige. Visibilité nulle par endroits.

Commentaire de ma mère : « Mais non, ça se dégage devant nous. »

Effectivement, les autos prennent le champ et dégagent la voie…

DE: Ringo

À: Vous trois

16 h 55 – On approche de Québec, nous confirme le GPS. On devrait voir les ponts bientôt...

Correction : on verra le pont quand on sera dessus.

Il neige un peu, rien de catastrophique. On se voit bientôt. J'ai raconté ton drame avec le fer plat à ma famille. Mon père a dit : « La coiffeuse pense peut-être qu'elle joue dans la pièce *La cantatrice chauve* de Ionesco. » Je ne connais pas la pièce, mais ma mère a trouvé mon père très drôle.

Bye, je m'en vais me préparer. Yéééé !

DE: Ringo

À: Vous trois

17 h – Pauvre Coccinelle. Ce sont les planches qu'il faut que tu brûles, pas tes cheveux ! Je pense que ta coiffeuse était de mèche avec ton Francis de metteur en scène.

DE : Ringo

À : Vous trois

17 h 10 – Si je dérape, c'est pour me détendre.
Un 360 sur le pont Pierre-Laporte! Un tour
complet, les amis.

Moi, j'ai crié : « Aaaaaaah ! »

Ma mère a hurlé : « Yahoooooou ! »

Elle a continué en sifflotant.

Mes parents sont devant une miss Météo qui panique à la télé. Ce n'est quand même pas trois flocons et un peu de vent qui vont nous empêcher de partir, que je répète à ma mère. Elle change d'idée toutes les deux minutes.

« On part, on part pas, on part peut-être, on part pas... »

S'il fallait que je rate la pièce !

Ringo ? Ta téméraire de mère viendrait-elle me chercher ?

J'habite à 15 minutes du pont ! Tu as mon adresse. Dis ouiiii.

Vite ! Réponds ! Je suis désespérée. Sinon, je ne pourrai pas assister à la pièce.

Spatule, dis-moi, est-ce que c'est une si grosse tempête ou miss Météo exagère encore ?

DE: Ringo

À: Vous trois

17 h 20 – Le GPS s'est décroché de son support.

Je dois le reprogrammer. J'ai une idée!

Je vous laisse.

DE : Spatule

À : Coccinelle et aux autres

Enfin, des nouvelles ! Je commençais à m'inquiéter. Il neige et il vente, mais pas question de rebrousser chemin ! Marco en fait une affaire personnelle. Il a juré de m'emmener dans Charlevoix, il m'emmènera dans Charlevoix.

Je ne pourrai pas vous texter longtemps. Marco a oublié le fil qui permet de brancher son cellulaire pour le recharger ! Il ne lui reste que 14 % !

DE: Pinotte

À: Spatule

Spatuuule! Réponds vite avant que la batterie
ne soit à plat! Est-ce que tu nous conseilles de
prendre la route ou pas?

Est-ce que c'est si épouvantable?

Vite, réponds! Ma mère est incapable de se
décider.

DE: Pinotte

À: Ringo

Youhou ? Tu ne réponds plus ? Les batteries de
ton téléphone sont à plat aussi ou quoi ?

As-tu parlé à ta mère pour passer me prendre ?
Tu es mon dernier espoir, Ringo ! Je veux y aller
avec vous !

Bon, j'ai compris. Je n'ai plus de nouvelles de personne ! Je ne vois même plus la maison de l'autre côté de ma rue. C'est une vraie de vraie tempête, on dirait...

Ringo, écris-moi aussitôt que tu peux, s'il te plaît. J'espère que tout s'est bien passé sur la route.

Spatule, tu dois être arrivé, toi. Et Coccinelle est sûrement en train de faire des exercices de respiration...

Spatule ? Peux-tu filmer la pièce ? Ou si tu peux me l'envoyer par Skype, je serai un ti peu avec vous. Vous serez la Bande des Trois ce soir. Moi, je serai toute seule ici, dans ma chambre.

Je déprime.

Ringo, êtes-vous arrivés ?

Je vous laisse, on sonne à la porte.

Bizarre, de la visite en pleine tempête...

DE: Pinotte

À: Vous trois ensemble et pas moi

Je suis revenue.

C'est le voisin en panique qui a encore perdu son gros père Noël gonflable et qui demandait à mon père de l'aider. Je pense que je vais vous écrire toute la soirée… Ça sonne encore à la porte et ma mère me crie de venir.

Misère… Je vais devoir chercher moi aussi le ridicule père Noël du voisin! Quel cauchemar!

Bonne soirée, mes trois *best*. xxx

Tu as remarqué, Spatule, que je n'ai pas inclus Pinotte dans cet envoi. Il y a à cela une excellente raison... C'est qu'elle est AVEC MOI!!!

Son genou gauche touche à ma cuisse droite!

On a survécu jusqu'à Limoilou! De peine et de misère. C'était vraiment terrible comme tempête – ça l'est encore, d'ailleurs! On ne voit ni ciel ni terre.

J'avoue que j'ai joué un tour à ma mère.

Quand le GPS s'est décroché de son support, j'ai dû le reprogrammer. Mais l'adresse de notre Pinotte se trouvait déjà dans les destinations récentes. Oui, je suis coupable! Hi! hi! hi! hi! Je l'avais inscrite il y a quelque temps, au cas où... Ben, le cas où, c'était là! De façon tout innocente, j'ai programmé un nouvel itinéraire, sans que ma mère s'en rende compte. Et au lieu de filer vers Charlevoix, on a bifurqué vers Limoilou. Ma mère, au bout de quelques kilomètres, s'est aperçue qu'on n'allait pas vers l'extérieur de Québec. Elle était en furie contre le GPS. C'est lorsqu'elle a entendu le «Vous arrivez à votre destination...» qu'elle a compris!

Moi : On est rendus chez mon amie Pinotte ! Que dirais-tu si on y allait en attendant que ça se calme ?

Je ne lui ai pas donné la chance de me répondre. J'étais déjà hors de la voiture et je me précipitais à la porte d'entrée pour sonner…

La tête de Pinotte quand elle m'a vu ! Wow !

Ç'aurait été Kiwi qu'elle n'aurait pas été plus contente…

Euh… mauvaise comparaison ! Mais j'ai eu un mégacâlin qui valait tous les kilomètres avalés en pleine tempête !

Je te quitte. Je vais voir du côté de ma mère si on peut reprendre la route.

DE: Pinotte

À: Coccinelle et Spatule

Yé! C'est un dépaaart!

On prend la route avec la super maman de Ringo qui n'a pas peur des petites tempêtes!

À plus!

DE: Coccinelle

À: ...ttention!!! URGENT!!!

La pièce est annulée à cause de la tempête. C'est remis à demain.

J'espère que vous n'étiez pas rendus trop loin.

DE: Coccinelle

À: Pinotte, Ringo, Spatule URGENT URGENT

Avez-vous pris mon message? PAS DE PIÈCE
CE SOIR! VOUS ÊTES OÙ? POUVEZ-VOUS
VENIR DEMAIN QUAND MÊME? RÉPONDEZ-
MOOOOOOOOOOI!

Je viens d'arriver à la maison. Il fait vraiment mauvais.

On remet tout à demain. Je chamboule l'horaire de Tamia intense sincère rayé. Oh non!

DE: Pinotte

À: Coccinelle et Spat

Coincés à Saint-Tite-des-Caps.

On n'est pas près de sortir du banc de neige…

DE : Spatule

À : Au secours !

Stationnement désert, école fermée, pièce annulée. Avons été obligés d'utiliser le téléphone de Marco comme GPS. 1 % d'énergie. J'ai l'air fin avec mes fleurs, devant des portes barrées, en pleine tempête. Je fais quoi, moi ?

LA BANDE DES quatre

Auteurs : Alain M. Bergeron, François Gravel,
Martine Latulippe, Johanne Mercier

Illustratrice : Élise Gravel

Tome 1

Tome 2

Tome 3 (à paraître)

Tome 4 (à paraître)

Alain M. Bergeron a aussi écrit aux éditions FouLire:

- Rire aux étoiles - Série Virginie Vanelli
- Le Chat-Ô en folie
- Mes parents sont gentils mais… tellement malchanceux!
- Collection Mini Ketto - Ollie, le champion

François Gravel a aussi écrit aux éditions FouLire:

- Les histoires de Zak et Zoé
- Mes parents sont gentils mais… tellement mauvais perdants!
- Poésies pour zinzins
- Le livre noir sur la vie secrète des animaux

Martine Latulippe a aussi écrit aux éditions FouLire:

- L'Alphabet sur mille pattes - Série la Classe de madame Zoé
- La Joyeuse maison hantée - Série Mouk le monstre
- Les aventures de Marie-P
- Émilie-Rose
- Collection Mini Ketto - Une plume pour Pénélope

Johanne Mercier a aussi écrit aux éditions FouLire:

- Le Trio rigolo
- Le génie Brad
- Mes parents sont gentils mais… tellement paresseux!
- Zip, Héros du cosmos
- Gangster

MARQUIS

Québec, Canada

Achevé d'imprimer le 8 janvier 2016

RECYCLÉ
Papier fait à partir
de matériaux recyclés
FSC® C103567

Imprimé sur du papier Enviro 100% postconsommation
traité sans chlore, accrédité ÉcoLogo et fait à partir de biogaz.